<그리스도인이면 꼭 알아야 할 성경 지식>

마태복음

제2권 왜 유대인들은 왕을 거부했는가?(8-12장)

서울솔로몬학교 성경연수원

차 례

이 책에 인용된 성경 구절은 〈한글킹제임스성경〉입니다.

제1과

왜 유대인들은 왕을 거부했는가?

『그들이 소리지르기를 "처단하소서. 처단하소서. 그를 십자가에 못박으소서."라고 하더라. 빌라도가 그들에게 말하기를 "너희의 왕을 내가 십자가에 못박으랴?"고 하니 선임 제사장들이 대답하기를 "카이사 외에는 우리에게 왕이 없나이다."라고 하더라』(요 19:15).

하나님께서 유대인을 선택하시고 보호하신 목적

■ 기적 중의 기적 ■

한때 세계를 제패했던 왕국들은 무너지고 멸망하여 역사의 뒤안길로 사라졌으나, "이스라엘"은 파괴의 잿더미 속에서 소멸하지 않고, 그들을 짓밟고 멸망시킨 왕국들보다 더 오래 존속하고 있다. 오랜 세월 동안 나라를 잃은 망국의 백성으로서 전 세계로 뿔뿔이 흩어져 숱한 고난 속에서 살았음에도 불구하고, "유대인들"이 여전히 보존되어 하나의 국가를 형성하고 있다는 사실과 그들의 율법과 언어(히브리어), 지명, 전통, 관습 등이 그대로 간직되어 있다는 사실은 "기적 중의 기적"이다. 한번은 프레드릭 대왕이 궁정 목사에게 "성경이 영감을 받은 책이라는 사실을 한마디로 입증해 보라."라고 말하자, 그 목사는 "폐하, 유대인입니다."라고 대답했다고 한다. "**하나님의 영감으로 기록된 성경이 없이는 결코 설명할 수 없는 민족이 바로 유대인인 것이다!**"

『**주** 우리 하나님께서 우리가 주께 부르짖는 모든 일에 가까이 계심같이, 하나님께서 그처럼 가까이하시는 그렇게 위대한 민족이 어디 있느냐?』(신 4:7)

"**하나님께서 유대인들을 선택하신 목적은 무엇인가?**" ❶ **우선 하나님만이 유일한 신이자, 유일한 하나님이라는 사실을 온 세상에 알려 주시기 위해서였다.**

하나님께서는 유대인들을 통해 오직 하나님 한 분만이 영원히 살아 계신다는 사실과 하나님께서 다스리시고 하나님을 섬기는 완벽한 신정 통치 국가가 어떤 국가인지를 온 세상에 보여 주심으로써 이방 나라들도 이스라엘을 본받아 하나님 한 분만을 섬기는 나라들이 되게 하시려는 의도가 있으셨다.

❷ 두 번째로 성경을 기록하시고 보존하시며 전파하시기 위해서였다. **『그렇다면 유대인의 나은 점이 무엇이며 할례의 유익이 무엇이냐? 모든 면에서 많으니 무엇보다도 그들에게 하나님의 말씀들이 맡겨졌음이니라』**(롬 3:1,2). 성경은 "유대인들"에 의해 기록되었다. 유대인들은 성경을 보존하는 데에도 특별한 관심을 기울였으니, 구약성경은 유대인 제사장들에 의해 보존되었고(말 2:7), 신약성경 역시 교회 시대 초기에는 유대인 그리스도인들에 의해 보존되었다.

❸ 또한 이 세상을 구원할 구주를 보내시기 위해서였다. 구원은 유대인에게서 나온다(요 4:22). 따라서 하나님께서 메시아를 보내신다면, 친히 그분의 백성으로 선택하신 유대인들을 통해 보내시는 것이 가장 합당한 일이었을 것이다.

❹ 마지막으로 도덕적인 타락으로부터 온 세상을 구원하기 위해 유대인을 선택하셨다. 유대인들을 통해 이 땅의 부패를 방지하기 원하셨던 것이다. 유대인들은 "세상의 빛"일 뿐 아니라 "땅의 소금"으로도 불린다(마 5:13). 그들이 하나님의 명령에 순종하고 주님을 올바르게 섬겼을 때, 그들이 거하는 약속의 땅은 복을 받고 번성했다. 이스라엘 땅만 번성한 것이 아니라 이스라엘 주변의 여러 민족도 평화로웠다. 그러나 이스라엘이 하나님을 버리고 죄를 짓고 이방 민족들보다 더 타락하기 시작했을 때 땅은 더욱 부패하고 버림받았으며, 그 주변 나라들 역시 전쟁의 소용돌이에 휘말리고 말았다.

■ 새롭게 깨달았거나 적용할 내용이 있다면 적어 보세요. ■

하나님을 거부한 유대인

1. 하나님과 복음을 거부한 유대인들

1) "**아버지 하나님**"을 거부했다.

유대인들은 출애굽 이후 하나의 국가로 세워진 이래로 줄곧 하나님과 그분의 말씀을 거부해 왔다. 재판관들의 시대가 끝나갈 무렵, 그들은 선지자 사무엘을 찾아가 다른 민족들처럼 "왕"을 세워 달라고 요구했다(삼상 8:5). 신정 통치 국가에서 그들의 왕은 "하나님"이셨으나, "아버지 하나님"을 거역하고 "인간 왕"을 요구한 것이다. 『**주께서 사무엘에게 말씀하시기를 "백성이 네게 말하는 모든 일에 있어서 그들의 음성에 경청하라. 그들이 너를 거역함이 아니요, 나를 거역하여 나로 그들을 다스리지 못하게 하려는 것이라**』(삼상 8:7). 이에 사무엘이 "왕의 제도"에 관하여 엄중히 경고했지만, 완고한 백성들은 그의 말을 듣기를 거부했고, 결국 "불법적인 왕" 사울이 왕위에 오르고 말았다.

2) "**아들 하나님**"을 거부했다.

초림 당시 구약에서 예언된 메시아이시자 왕이신 예수 그리스도께서 인간의 몸을 입으시고 유대인들의 왕이시자 구원자로 오셨지만, 그들은 구약에서 그러했듯이 이번에도 "아들 하나님"이신 왕을 거부하고 십자가에 못 박아 죽였다(마 21:33-46). 그 대신 로마 황제 "카이사"를 그들의 왕으로 삼았다. 『**카이사 외에는 우리에게 왕이 없나이다**』(요 19:15).

3) "**성령 하나님**"을 거부했다.

예수 그리스도께서 십자가에서 죽으시고 부활하시고 승천하신 이후, 유대인들에게 그들의 왕을 죽인 것에 대해 회개하고 민족적인 차원에서 다시 한번 돌이길 기회가 주어졌지만(행 7장), 유대인들은 오순절에 오신(행 2장) "성령 하나님"을 거역함으로써 그들에게 주어진 마지막 기회마저 거절하고 말았다. 『**너희 목이 곧고 마음과 귀에 할례를 받지 못한 사람들아, 너희 조상이 한 것과 같이 너희도 늘 성령을 거역하는도다**』(행 7:51).

4) "복음"을 거부했다.

이로써 초림 당시 침례인 요한 때부터 예수 그리스도의 지상 사역을 지나 스테판 집사의 마지막 설교 때까지 유대인들을 위해 줄곧 전파되었던 "천국 복음"(마 4:17; 10:5-8)은 완전히 거부되었고, 구약에서 예언된 왕국은 재림 때로 연기되고 말았다. 물론 교회 시대로 경륜이 바뀐 상황에서도 유대인들에게 "하나님의 은혜의 복음"(행 20:24, 고전 15:1-4)이 전파되기는 했지만, 그들은 이 복음조차 거부하고 말았으니, 곧 "소아시아"(행 13:45,46)와 "유럽"(행 18:6)과 온 세상을 대표하는 "로마"(행 28:25-28)에서 거부하고 말았다. 그 결과 은혜의 복음은, "이방의 죄인들"(갈 2:15), 곧 그리스도로부터 분리되어 있었고 약속의 언약들로부터는 멀리 떨어져 있었으며 소망도 하나님도 없었던(엡 2:12) 이방인들에게로 넘어오게 되었다. 『**그러므로 하나님의 구원을 이방인들에게 보낸 것과 그들이 그것을 들을 것을 너희가 알라**』(행 28:28).

2. 하나님과 복음을 거부한 대가

『모든 백성이 대답하여 말하기를 "그의 피를 우리와 우리 자손에게 돌리라."고 하더라』(마 27:25). 이 대가로 유대 민족의 잔혹하고 슬픈 역사가 시작되었는데, A.D. 70년 이래 지난 1,900여 년 동안 유대인들은 그야말로 모기같이 하루살이같이 벼룩같이 쥐새끼같이 바퀴벌레같

이 취급받으며 죽어 갔다. 이 기간에 일어났던 유대인의 역사는 지상의 지옥 그 자체이자 끔찍한 재난이라 할 수 있다. 어떤 사람들도 이 기간에 유대인들에게 일어난 이 지옥 같고 저주스러운 재앙을 결코 감출 수 없다. 그런 역사적인 사건들은 분명히 일어났고, 그뿐만 아니라 앞으로 대환란 기간에 또다시 재현될 것이다.

유대인들은 그 어떤 밤보다도 더 어두운 터널의 역사를 지나와야 했다. 이에 관한 몇 가지 사례를 들면 다음과 같다(피터 S. 럭크만의 〈죽음의 재 같은 땅 이스라엘〉에서 발췌). A.D. 70년에는 로마의 티투스 장군이 예루살렘을 완전히 함락시켰고, 135년에는 하드리안 황제가 유대인들을 팔레스타인 땅에 아예 발도 못 붙이게 하려고 전 세계에 흩어 버렸다. 600년에는 시리아 안티옥에서 유대인들이 이슬람교로 개종하지 않으면 죽임을 당해야 했고, 850년에는 이라크에 있는 유대인들에게 과도한 세금이 부과되었다.

1300년대에는 유럽을 휩쓴 흑사병의 원인이 유대인들에게 있다는 거짓말이 나돌았는가 하면, 카톨릭교도들은 유대인들이 어린아이들을 죽여서 "유월절 양"으로 썼다는 누명을 씌우기도 했다. 1321년 프랑스에서는 살았든지 죽었든지 유대인들을 잡아다가 구덩이에 매장했고, 프랑스 툴루스에서는 그곳에 사는 모

부헨발트 수용소의 유대인들
(마거릿 버크 화이트)

수용소에서 선별을 기다리는 유대인들
(이스라엘 야드 바쉠 박물관)

든 유대인이 멸절되었다. 1333년에는 바그다드에 있는 모든 회당이 약탈당하고 파괴되었으며, 1349-1360년에는 헝가리, 크림반도, 포르투갈, 프랑스, 오스트리아, 이탈리아 서쪽의 사르디니아 섬 등지에서 많은 유대인이 추방당했다. 1355-1391년에는 약 5만 명의 유대인들이 스페인 팜에서 살해를 당했으며, 스페인 곳곳에서 12,000명의 유대인이 폭도들의 손에 죽었다. 1399년 폴란드에서는 카톨릭교도들이 유대인들을 고문했을 뿐만 아니라, 1407년에는 산 채로 불태워 죽이기도 했다. 1391-1474년에는 이탈리아에서 총 4만 명의 유대인들이 목숨을 잃었다.

또한 제1,2차 세계대전 당시의 "홀로코스트" 관련 기록에 따르면, 600만 명의 유대인이 독일에서 학살되었고, 폴란드에서는 260만 명이, 러시아에서는 75만 명이, 루마니아에서는 755,000명이, 네덜란드에서는 104,000명이, 프랑스에서는 65,000명이, 그리스, 오스트리아, 체코에서는 각각 6만 명이, 유고슬라비아에서는 58,000명이, 벨기에에서는 28,000명이, 헝가리에서는 2만 명이, 이탈리아에서는 9천 명이 학살되었다.

한 나치 총독이 뉘른베르크 나치 전범 재판에서 "도대체 어떻게 해서 유대인들을 그처럼 인간 이하로 취급할 수 있었는가?"라는 질문을 받았을 때, 그는 잠시 어깨를 으쓱하더니 이렇게 대답했다. "몇백 년 동안 유대인은 인간 이하라고 국민에게 가르쳐 왔는데, 그들을 인간 이하의 존재가 아니라면 어떻게 취급하라는 것이오?"

■ 새롭게 깨달았거나 적용할 내용이 있다면 적어 보세요. ■

유대인들이 왕을 거부한 이유

1. 하나님의 백성으로서의 정체성을 잃어버리고 이방 민족처럼 되려 했기 때문이다.

하나님께서는 이스라엘 백성을 다른 민족들로부터 구별하셨고(출 19:4-6), 그들이 이방 민족들처럼 되어서는 안 된다는 말씀을 여러 번 강조하셨다(민 23:9, 신 7:6,14; 10:15; 26:19; 33:28 등). 또한 혈통, 종교, 관습 등에 있어서 성별할 것을 말씀하셨으며, 약속의 땅에 들어가거든 이방인들의 우상숭배를 따르지 말라고 하시면서 그 땅의 거민들을 완전히 멸하라고 명령하셨다. 그러나 이 명령에 불순종한 이스라엘은 그들의 왕을 선택할 때 "이방 민족들같이" 되려고 했다(삼상 8:5,8). 『**우리 또한 모든 민족들과 같이 될 것이요 우리 왕으로 우리를 재판하고, 우리 앞에 나가서 우리의 싸움을 싸우도록 할 것이니이다**』(삼상 8:20).

2. 율법을 거부했기 때문이다.

초림 당시 예수님께서는 『**너희가 모세를 믿었다면 나를 믿었으리니 이는 그가 나에 관하여 기록하였기 때문이라.**』(요 5:46)라고 말씀하셨다. 사도 바울도 『**그리하여 율법이 우리를 그리스도에게로 인도하는 우리의 지도교사가 되었으니 이는 우리를 믿음으로 의롭게 하려 함이라.**』(갈 3:24)라고 말했다. 만일 유대인들이 하나님께서 주신 율법을 제대로 알고 제대로 믿었다면 예수 그리스도를 거절했을 리 없다. 왜냐하면, 그 "율법"은 그리스도에 관해 증거하고 있으며, 또 그들을 그리스도께로 인도하는 지도교사였기 때문이다. 그러나 유대인들은 율법이 그들에게 『**이상한 것으로**』(호 8:12) 여겨질 만큼 율법을 잊어버렸고 거부했으며(호 4:6) 지키지 않았다(행 7:51-53). 심지어 그들이 제멋대로 만든 "인간의 전통"으로 하나님의 계명을 어기고 폐기시키고 말았다(마 15:3,6,9).

3. 예수 그리스도께서 하나님이심을 믿지 않았기 때문이다.

예수님께서는 자신이 하나님이심을 여러 가지 증거들과 표적들, 기적들, 이적들을 통해 보여 주셨다. **『나와 나의 아버지는 하나니라』**(요 10:30). 그러나 이 사실을 믿지 못했던 유대인들은 오히려 그렇게 말씀하시는 예수님을 죽이려 했다(요 10:31, cf. 요 5:18). 그래서 예수님께서는 불신하는 유대인들을 향해 **『만일 내가 나의 아버지의 일들을 하지 아니한다면 나를 믿지 말라. 그러나 내가 행한다면 비록 너희가 나를 믿지 않는다 해도 그 일들은 믿으라. 그리하면 아버지께서 내 안에 계시며 또 내가 그분 안에 있는 것을 너희가 알게 되고 또 믿게 되리라.』**(요 10:37,38)라고 말씀하셨다. 하지만 그들은 믿지 않았다. 심지어 죽음에서 부활하심으로써 자신이 "하나님"이시고, "왕"이시며, "그리스도"(메시아)이심을 "무오한 증거들"(행 1:3)로 보여 주셨음에도(행 2:22-36; 3:12-26; 4:8-12, 롬 1:4) 불구하고 유대인들은 거부하고 말았다.

4. 무지했기 때문이다.

예수님께서는 십자가에 달리셨을 때 자신을 못 박은 백성들의 죄를 용서해 달라고 하나님 아버지께 간구하셨다. 왜냐하면, 그들이 무지해서 저지른 일이었기 때문이다(행 3:17). **『아버지시여, 저들을 용서해 주옵소서. 그들은 자기들이 하는 것을 알지 못하나이다』**(눅 23:34).

5. 하나님의 나라와 천국에 대해 제대로 몰랐기 때문이다.

유대인들은 물리적인 왕국인 "천국"에만 집착한 나머지 바로 그 왕국이 도래하기 위해서는 도덕적이고 영적인 왕국인 "하나님의 나라"가 선행되어야 한다는 사실을 깨닫지 못했다. 즉 도덕적인 의와 권위를 강력하게 선포하신 예수 그리스도의 의도를 제대로 이해하지 못했던 것이다. 유대인들이 기다렸던 메시아는 로마 제국과 같은 이방 왕국의 통치를 무너뜨리고 자기들을 물리적으로 해방시켜 줄 정치적인 메시아였는데, 이런 그들의 기대와는 달리 너무나 "도덕적인 의"에 대해 강조한다고 생각했던 것이다(마 5:20; 6:33).

죄인들은 아무리 자기들을 다스리는 왕이라 할지라도 "도덕적인 의로 무장한, 곧 죄가 없는 왕"이 보좌에 앉는 것을 원하지 않는다. 초림 당시의 유대인들이 그러했다. 왜냐하면, 죄를 지어도 적당히 눈감아 줄 그런 왕이 더 좋기 때문이다. 도덕적인 권위는 필요 없고, 그저 그들을 이방 나라들로부터 정치적으로 해방시켜 줄 강력한 왕이 보좌에 앉기만 하면 되는 것이었다. 예수님께서 말씀하시는 도덕적인 의는 중요하지 않았다. 그것이 필요하다 해도 바리새인들의 "종교적인 의"만으로도 충분했다. 이런 이유로 유대인들은 "죄가 없으신 분"으로서 "하나님의 의"를 강조하신 예수님이 그들의 왕이 되는 것을 극도로 싫어했다. 실제로 빌라도가 예수님을 가리키면서 『**이 사람을 보라!**』(요 19:5)라고 했을 때, 그분을 바라본 유대인들의 반응이 어떠했는가? "십자가에 못 박으소서! 십자가에 못 박으소서! 이 사람이 우리를 통치하는 것을 원하지 않습니다!"(요 19:6, 눅 19:14)였던 것이다. 심지어 절대 하지 말았어야 할 그 말, 곧 『**카이사 외에는 우리에게 왕이 없나이다.**』(요 19:15)라고까지 말했던 것이다.

초림 당시 천국 복음이 전파되고 왕의 표적들이 나타나는 가운데 예수님께서 왕의 대관식을 치르실 분위기가 서서히 무르익어 가고 있었다. 그러나 왕국의 백성들인 유대인들이 왕을 거절했다. 왕국의 백성들이 거절하면 왕국은 임할 수 없다. 왜냐하면, 하나님께서 아브라함을 선택하신 이래로 무조건적인 언약에 따라 이 물리적인 왕국을 그에게 주셨고, 또한 그 왕국이 지상에 실제로 도래할 때까지 아브라함의 할례받은 씨, 곧 유대인들을 통해서만 전수될 것이라고 약속하셨기 때문이다. 이제 때가 차서 죄 없으신 왕이 백성들 가운데 계셨고, 왕국도 그들의 문턱에 바짝 다가와 있었다. 하나님의 나라와 천국, 두 왕국의 진정한 왕이신 예수님께서 그들 앞에 서 계셨던 것이다. 이처럼 행복한 결말로 끝날 것 같은 이 최상의 상황에서, 유대인들은 두 왕국을 구분하지 못하고 오직 하나의 왕관, 곧 물리적인 왕국에 대해서만 집착하고 만다(눅 19:11). 이렇듯 두 왕국을 올바르게 구분하지 못하고 혼란을 느끼는 데에 결정적인 문제가 있었던 것이다. 이러한 혼란 때문에 결과적으로는 유대인들에게 천국이 임하지 못했고, 그 위대한 왕국의 도래는 재림 때로 연기되고 말았다.

■ 새롭게 깨달았거나 적용할 내용이 있다면 적어 보세요. ■

NOTES

제2과

왕의 표적 (1)

이분이 도대체 누구시기에(8장)

『그 사람들이 놀라서 말하기를 "이분이 도대체 누구시기에 바람과 바다까지도 그에게 복종하는가!"라고 하더라』(마 8:27).

표적이 지니는 의미

■ "표적"이란 무엇인가? ■

표적(sign)은 무언가를 말하고 있는 간판(sign)과 같은 도구이므로, 표적과 더불어 시작된 이스라엘은 그 "표적의 소리"에 경청해야 했다. **『만일 그들이 너를 믿지 아니하고 처음 표적의 소리에 경청하지 아니하면, 그들이 나중 표적의 소리를 믿으리라』**(출 4:8). 하나님으로부터 이 말씀을 받은 모세는 백성들에게 **『주 너의 하나님께서 네 가운데로부터 네 형제들 가운데서 나와 같은 한 선지자를 네게 일으키시리니 너희는 그에게 경청할지니라.』**(신 18:15)라고 명령했다. 즉 모세와 같은 선지자는 모세처럼 표적을 행할 수 있어야 하고, 그 선지자가 표적을 통해 전파하는 말에 이스라엘 백성들은 귀를 기울여야 했던 것이다. 초림 당시 예수 그리스도께서는 모세와 같은 선지자로 등장하시어 많은 표적들을 행하셨다. 그러나 백성들, 특히 종교지도자들은 그 표적들의 소리에 경청하지 않았다. 처음 표적의 소리에 경청하지 않았다면 나중 표적의 소리라도 믿었어야 했는데 그들은 그렇게 하지 않았다. 결국 어떤 표적에 대해서도 경청하거나 믿으려는 자세가 없으면서 계속 표적을 구하기만 했던 그 악하고 음란한 세대에게 예수님께서는 "마지막 표적"을 제시하셨는데, 그것이 바로 "요나의 표적"이었다(마 12:38,39). 이 표적은 "예수님의 죽음과 부활"(마 12:40)을 말하는 표적이었고, "부활"은 그분께서 하나님의 아들이시요(롬 1:4) 주와 그리스도(메시아)이심을 증거해 주는(행 2:36) 확실한 표적이었다.

『주께서 산에서 내려오시니 큰 무리가 주를 따르더라』(마 8:1). 예수님을 따랐던 큰 무리는 산상설교(마 5-7장)를 통해 그분이 권위 있는 분임을 인식하게 되었다(마 7:29). 산상설교는 왕의 헌법이었고, 그 권위는 왕으로서의 권위였기 때문이다(전 8:4). 유대인들은 당대의 어떤 서기관들에게서도 찾아볼 수 없는 "권위"를 느꼈다. 그러한 권위를 인식하기 시작한 백성들은 이제 그분에게서 표적을 기대하게 된다. 이에 예수 그리스도께서는 왕국의 헌법을 선포하신 왕의 권위로써 "왕이심을 증명하는 표적"을 행하신다. 표적은 두 가지 사실, 곧 예수 그리스도께서 "왕"이심과 "하나님"이심을 보여 준다. 마태복음에 나타나는 표적들은 전자의 측면을 강조하고, 요한복음에 나타나는 표적들은 후자의 측면을 부각시킨다.

천국 복음에는 반드시 표적이 수반된다. 구약에서 예언되었던 메시아, 곧 왕의 표적이 반드시 뒤따르는 것이다. 이러한 "왕의 표적"이 마태복음 8장의 핵심 내용이며, 그러한 표적들로 ① 문둥병자의 치유(2-4절), ② 중풍병에 걸린 백부장의 종의 치유(5-13절), ③ 열병에 걸린 베드로의 아내의 모친의 치유(14,15절), ④ 폭풍우를 잠재우신 사건(23-27절), ⑤ 마귀를 쫓아내신 사건(28-34절)이 나온다.

■ 새롭게 깨달았거나 적용할 내용이 있다면 적어 보세요. ■

왕의 표적들

1. 문둥병자를 치유하심(8:2-4)

1) <u>문둥병에 관한 구약의 규례</u>(레 13,14장)

문둥병에 걸린 사람은 혼자 격리되어 살아야 했고(레 13:46), 아무도 그를 만져서는 안 되고 살펴보기만 해야 했다. 제사장 역시 살펴보기만 해야 했으며(레 13:17,25,36,43), 문둥병자가 정결하게 되는 날의 법(레 14:2)에 따라 속건제물의 피를 가지고서만 만질 수 있었다(레 14:14). 속건제물로 어린 숫양 한 마리가 필요했으니, 곧 "동물의 피"가 흘려져야 했던 것이다(레 14:12).

2) <u>문둥병을 치유하신 왕 예수 그리스도</u>(3,4절)

영원한 대제사장이신(히 3:1) 예수 그리스도께서는 구약의 인간 제사장들과 달리 문둥병자를 살펴보셨을 뿐만 아니라 "직접 손을 내밀어 만지심으로써" 치유하셨다(3절). 이는 예수님께서 문둥병을 깨끗하게 하실 수 있는 하나님이심을 증거해 준다. 특히 속건제물의 피 없이 문둥병자를 만지셨는데, 이것은 예수님께서 동물의 피가 아닌, 십자가에서 흘리신 자신의 피로 죄를 씻으시는 것을 모형적으로 보여 주고 있다.

2. 중풍병에 걸린 백부장의 종을 치유하심(8:5-13)

1) <u>종의 중풍병을 고치러 온 백부장</u>(5,6절)

이 "이방인 백부장"은 유대인들을 사랑하고 선대하는 사람으로서 유대인들을 위해 회당을 지어 주기까지 했다(눅 7:5). 그런데 그가 총애하는 종이 병들어 죽게 되어 예수님께 나아온 것이다(cf. 눅 7:2,6).

2) 백부장의 믿음(7-10절)

『그 백부장이 대답하여 말씀드리기를 "주여, 주께서 내 지붕 아래로 오시는 것을 내가 감당할 수 없사오니 오직 말씀만 하옵소서. 그러면 내 종이 나을 것이옵니다. 나도 권위 아래 있는 사람이요 내 수하에도 병사들이 있어서 내가 이 사람더러 '가라.' 하면 가고, 또 저 사람더러 '오라.' 하면 오나이다. 또 내 종더러 '이것을 하라.' 하면 그렇게 하나이다."라고 하니, 예수께서 이 말을 들으시고 놀라워하시며 따르는 사람들에게 말씀하시기를 "진실로 내가 너희에게 말하노니, 이스라엘에서는 이처럼 큰 믿음을 본 적이 없나니, 결코 없도다』(마 8:8-10).

예수님께서는 백부장의 믿음에 대해 "큰 믿음"이라고 평가하시면서(10절) 그의 종을 치유해 주셨는데(13절), 이는 그의 믿음이 "말씀의 권위"를 인정하는 믿음이었고(8절, 눅 7:7), "왕이신 예수 그리스도의 권위"를 인정하는 믿음이었으며(9절), 예수님의 "주 되심"(Lordship)을 인정하는 믿음이었기(8절) 때문이다. 이러한 "Lordship"은 모든 사물과 자연계, 심지어 모든 질병에까지도 미치는 위대한 "주권"이다. 질병마저도 그리스도의 권위와 명령에 복종하는 것이다. 앞서 나왔던 문둥병도 그러했고, 여기에 나오는 중풍병도 그러하며, 이후에 나오는 모든 질병의 치유는 바로 그것을 보여 주고 있다. 그래서 그 "주 되심"을 인정했던 유대인들은 모두 예수님을 향해 "주여"라고 불렀던 것이다(2,8,25절).

3) 왕국의 복에 참여할 이방인들과 바깥 흑암에 던져질 유대인들(11,12절)

예수님께서는 이방인이었던 백부장의 큰 믿음을 보시고 장차 다가올 천년왕국에서 그 복을 누릴 "이방인들"에 대해 말씀하셨는데, 실제로 이 땅에 왕국이 임할 재림 때, 환란 기간에 유대인들을 사랑하고 선대한 이방인들이 "양의 민족"(마 25:31-40)으로 분류되어 왕국의 백성들로서 왕국의 복을 누리게 될 것이다(창 12:3). 한편 왕이신 예수 그리스도를 믿지 않고 거부한 유대인들, 곧 "왕국의 자녀들"은 바깥 흑암(지옥)에 던져져 울며 이를 갈게 될 것이다(12절).

3. 베드로의 아내의 모친의 열병을 치유하심(8:14,15)

4. 마귀들을 쫓아내시고 여러 질병을 치유하심(8:16,17)

"질병의 치유"는 "왕(메시아)의 대표적인 표적"이다. 이것은 구약에서 예언되었고(겔 34:16, 사 33:24; 35:6), 초림 당시 예수 그리스도를 통해 성취되었다. "질병을 치유하는 표적"은 일차적으로 "이스라엘 백성"에게 주어졌다. 이스라엘은 "치유의 표적"과 더불어 시작된 민족으로서(출 4:6-8) 항상 표적을 구한다(고전 1:22). 모세가 이스라엘 백성을 출애굽시키라는 명령을 위임받았을 때 치유의 기적이 나타났고(출 2-4장), 하나님께서는 이집트에 재앙으로 내린 질병으로부터 그분의 백성을 보호하시겠다는 약속을 주셨다(출 15:26). "모세와 같은 한 선지자"(신 18:15)로 오신 예수님께서는 질병을 치유하심으로써 자신이 왕이심을 백성에게 보여 주셨다. 이는 주님께서 백성들의 『**연약함**』을 맡으시고 『**질병**』을 짊어지신 분으로서(17절) 선지자 이사야의 예언(사 53:4)을 성취하신 메시아 왕이시기 때문이다.

5. 참된 제자도(8:18-22)

예수님께는 편히 주무실 집조차 없으셨기 때문에, 주님을 따르는 제자가 된다는 것은 문밖이나 맨땅 위에서도 잘 수 있어야 한다는 사실을 의미한다(20절, cf. 벧전 2:11). 말하자면 "야전군인"이 되어야 하는 것이다. 이 세상에는 여우들(마귀의 세력들, 눅 13:32)도 굴이 있고 공중의 새들(마귀들, 계 18:2)도 보금자리가 있지만, 이 세상에서 나그네요 순례자로서 살아가는 그리스도인들에게는 이 세상이 살 만한 데가 못 된다. 그래서 이 세상에서는 마귀와 그의 세력들이 하나님의 자녀들보다 더 잘 되고 더 번성한다. 그러나 예수님께서 이 땅에서 순례자처럼 사셨듯이 우리 그리스도인들은 그러한 삶을 본받아야 한다. 그뿐만 아니라 하나님의 일에 부르심을 받은 일꾼들로서 항상 육신적인 일보다는 하나님의 일을 우선시할 수 있어야 한다(21,22절).

『예수께서 그에게 말씀하시기를 "죽은 자들로 그들의 죽은 자를 장사지내게 하고, 너는 가서 하나님의 나라를 전파하라."고 하시니라. 또 다른 사람도 말씀드리기를 "주여, 내가 주를 따르겠나이다. 그러나 먼저 내 집에 있는 가족에게 작별을 고하게 하여 주소서."라고 하니 예수께서 그에게 말씀하시기를 "손에 쟁기를 잡고 뒤를 돌아보는 자는 하나님의 나라에 적합하지 아니하노라."고 하시니라』(눅 9:60-62).

결혼도 해야겠고, 돈도 벌어야겠고, 학교도 마쳐야겠고, 빚도 갚아야겠고, 집도 사야겠고, 아이들도 키워야겠고, 승진도 해야겠고, 세상에서 이름도 좀 내야겠고, 이 사람의 마음속에는 주님이 최우선의 자리에 있지 않았다. "자기의 일"이 먼저였다. 그러나 주님을 따르겠다는 결정을 실행에 옮기는 것은 결코 미룰 일이 아니다. 무슨 일이 있어도 가장 우선으로 해야 하는 일인 것이다. 롯의 아내처럼 옛 생활들을 계속 돌아보고 여전히 그 옛 생활들에 머물러 있으려고 해서는 안 된다. 양손에 꽉 쥐고 있는 세상적인 것들과 옛 습관들을 과감히 내려놓아야 한다. 그래야 주님을 위해 붙잡은 쟁기를 양손으로 제대로 들 수 있고, 또 쟁기질을 제대로 할 수 있다. 두 손에 쥐고 있는 세상적인 것들을 내려놓는 것, 그것은 우리가 참된 제자가 되기 위해 마땅히 지불해야 할 대가라는 사실을 유념해야 한다.

6. 폭풍우를 잠재우심(8:23-27)

1) 하나님의 아들이심을 보여 주는 이적(26절)

예수님께서 바람과 바다를 꾸짖으시는 모습은 창조주로서의 권세를 보여 준다. 사실 예수님께서는 창조 사역에 함께하셨다(요 1:3). 그래서 이것은 예수 그리스도의 신성을 나타낸다. 예수님께서는 온 우주(자연계)의 주(Lord)이시고 왕이시다. 앞서 나타났던 "질병의 치유"가 "그분의 왕 되심"을 증거한다면, 여기서 "자연을 관장하시는 모습"은 "하나님의 아들 되심"(마 14:33)을 증거한다.

2) 제자들을 꾸짖으신 이유(25,26절)

예수님께서 제자들을 꾸짖으신 이유는 그들이 "구해 달라"고 요청한 사실 자체 때문이 아니다. 연약한 인간이 주님께 간구하는 것은 당연한 일이기 때문이다. 그들의 "적은 믿음," 곧 "두려워함"을 꾸짖으신 것이다. 베드로가 물에 빠졌을 때도 그가 "구해 달라"고 한 말을 꾸짖으신 것이 아니라 그의 "적은 믿음," 곧 "의심"을 꾸짖으셨다(마 14:31). 인간으로서 창조주요 구주이신 주님께 "구해 달라"고 간절히 부르짖는 것은 극히 정상적인 일이다. 그러나 그러면서도 "의심하고 두려워하는 것," 곧 "믿음 없는 모습"은 마땅히 책망받을 부분이다.

여전히 제자들은 예수님께서 어떤 분이신지 제대로 몰랐기 때문에 온전한 믿음을 행사할 수도 없었고 마음이 다급하기만 했다. 그들의 적은 믿음은 바람과 바다가 잔잔해진 뒤에 그들이 놀라는 모습 속에서도 드러나게 된다. 『**이분이 도대체 누구시기에 바람과 바다까지도 그에게 복종하는가!**』(27절). 그들은 예수님께서 "하나님의 아들"이시라는 사실을 여전히 깨닫지 못하고 있다. 그러나 나중에 가서(마 14:22-33) 그들은 깨닫게 된다. 『**참으로 주님은 하나님의 아들이시니이다**』(마 14:33).

7. 겔게사인들의 지방에서 마귀들을 쫓아내심(8:28-34, 막 5:1-17)

■ 성경적 마귀론 ■

❶ 마귀들은 "더러운 영들"로서 "무덤"을 좋아한다(28절, 막 5:2,3,5).

❷ 마귀 들린 사람들은 "초인적인 힘"을 발휘한다(막 5:3,4).

❸ 마귀 들린 사람들은 밤낮을 가리지 않고 울부짖고 소리를 지르며 "산"과 같은 "높은 곳"에 거하기를 좋아한다(막 5:5).

❹ 마귀 들린 사람들은 자기 몸에 상처를 내는 등 자해를 한다(막 5:5).

❺ 마귀들은 "벌거벗는 것"을 좋아한다(막 5:15).

❻ 마귀들은 매우 "종교적"이다(막 5:6,7,10-13, 눅 4:34, 약 2:19, 고후 11:14, 계 18:2).

❼ 한 사람 안에 하나 혹은 여러 마귀가 들어갈 수 있다(막 5:9, 눅 8:2).

❽ 마귀들은 돼지와 같은 동물들을 점유하여 미치게 만들 수 있고, 바다로 뛰어들기를 좋아할 만큼 "따뜻하고 젖어 있는 장소"를 좋아한다(32절, 마 17:15, 막 5:13). 그래서 인간의 몸을 좋아하는 것이다(눅 11:24).

■ 새롭게 깨달았거나 적용할 내용이 있다면 적어 보세요. ■

제2과 복습문제

1. 요나의 표적은 예수님의 죽음과 부활을 보여 주는 표적이었다. (O , X)

2. 예수님께서 행하신 "표적"은 구약에서 예언된 "왕"이심을 드러내는 표적으로서 그분의 "신성"과는 무관하다. (O , X)

3. 백부장의 믿음이 큰 믿음으로 인정받은 이유는, 그의 믿음이 (   )의 권위를 인정하는 믿음이었고, (   )이신 예수 그리스도의 권위를 인정하는 믿음이었으며, 예수님의 (   )을 인정하는 믿음이었기 때문이다.

4. 폭풍우를 잠재우신 사건은 예수님의 "왕"으로서의 모습보다는 "하나님의 아들"로서의 모습을 더 부각시키고 있다. (O , X)

5. 『저녁이 되었을 때에, 사람들이 주께로 마귀들에게 사로잡힌 자들을 많이 데려왔으니 주께서 주의 말씀으로 그 영들을 쫓아내시고 병든 자들을 모두 고쳐 주시니라. 그렇게 하심은 선지자 이사야를 통하여 말씀하신 것을 이루려 하심이니, 말씀하시기를 "그가 친히 우리의 (   )을 맡으시고 우리의 (   )을 짊어지셨느니라."고 하셨더라』(마 8:16,17).

■ 복습 문제의 정답은 홈페이지(www.solomonbtc.org)에서 확인할 수 있습니다.

NOTES

NOTES

제3과

왕의 표적 (2)

새 포도주는 새 가죽 부대에(9장)

『그후에 예수께서 모든 성읍들과 마을들을 돌아다니시며 그들의 회당에서 가르치시고, 왕국 복음을 전파하시며, 또 백성 가운데서 모든 질병과 허약함을 고쳐 주시더라』(마 9:35).

왕국 복음과 표적들

유대인들로 하여금 구약에서 예언된 메시아이시요, 그들을 천국으로 인도할 왕으로 오신 예수 그리스도를 온전히 받아들이게 하려면, 이스라엘 백성의 눈높이에 맞는 최상의 방법이 필요했다. 곧 "표적"을 보여 줄 필요가 있었다. 그래서 예수님께서는 그들이 자신을 손쉽게 받아들일 수 있도록 표적을 행하셨다. 표적은 모세가 이스라엘을 이집트에서 불러낼 때부터 시작되었다(출 4:1-3). 따라서 예수 그리스도께서 다가올 왕국의 통치자이심을 증명하시기 위해 표적을 행하신 것은 극히 자연스러운 일이었다. 메시아로 오신 예수님을 강하게 거부하던 바리새인들조차 죄들을 용서할 수 있는 권세를 가지신 분은 오직 하나님 한 분이심을 알고 있었다. 예수님께서는 자신이 표적을 행하시는 이유를 직접 밝히시면서(6절), 그들이 보는 앞에서 치유의 표적을 통해 자신이 하나님, 바로 그분이심을 나타내 보이셨다. 하지만 바리새인들을 비롯한 많은 유대인들은 표적을 보고서도 예수님을 거부했다. 반면에 왕국 복음의 표적, 곧 병 고침의 표적을 보고 믿었던 사람들은 예수님께 나아갔고, 주님께서는 이들을 모두 고쳐 주셨다. 예수님께서는 바리새인들과 같은 위선자들의 숱한 반대에도 아랑곳하지 않으시고, 성읍들을 두루 다니시며 가르치셨고, 왕국 복음을 전파하시면서 그들의 질병과 허약함을 고쳐 주셨다(35절). 말하자면 표적을 행하시기에 앞서서 왕국 복음을 전파하시고 말씀을 가르치신 것이다.

표적 1 : 중풍병자를 치유하심(1-8절)

1. 치유에 필요한 믿음

마귀에게 사로잡힌 두 남자에게서 마귀들을 쫓아내신 후 예수님께서는 자기 성읍 "카퍼나움"(막 2:1)으로 가셨다. 이때 주님께서는 몰려든 많은 사람에게 말씀을 전파하셨는데(막 2:2) 그때 사람들이 한 중풍병자를 데리고 왔다. 옴짝달싹 못 하던 중풍병자를 예수님께로 인도한 사람은 네 사람이었다. 그들은 그가 흔들리지 않도록 안전하게 옮겼을 뿐만 아니라(cf. 약 1:8, unstable), 지붕을 뜯고 부수면서까지 그를 주님께로 인도했다. 이에 예수님께서는 그들의 믿음을 보시고 그 중풍병자를 치유하셨다.

마태복음 9장에는 다섯 번의 치유의 표적이 나타난다. 그중에서 세 번은 "다른 사람의 믿음으로"(2,18,32절) 치유를 받고, 두 번은 "자신의 믿음으로"(21,28절) 치유를 받는다. 따라서 예수님을 흉내 내는 은사주의자들의 "믿음과 치유에 관한 주장"은 새빨간 거짓임을 알 수 있다.

✍ 본문에서 얻을 수 있는 교훈 : 안드레가 베드로를 주님께로 인도하고(요 1:40), 우물가의 여인이 마을 사람들을 주님께로 인도한 것처럼(요 4:39), 거듭난 그리스도인들은 죄인들을 주님께로 인도해야 한다.

2. 치유를 통해 드러나는 예수님의 신성

"중풍병자를 걷게 하는 것"과 "죄들을 용서하는 것" 중에서 어느 것이 더 쉬운 일인가? 중요한 것은 어느 쪽이 더 쉬운가의 문제가 아니라 둘 다 인간에게는 불가능한 일이라는 점이다. 하지만 예수님께서는 치유의 표적을 통해 불가능해 보이는 일들을 행하심으로써 자신이 육신으로 오신 하나님이심을 증명하셨다. 또한 이를 본 서기관들의 마음속 생각들을 아시는 전지하신 하나님이셨다(4절).

3. 치유의 순서

예수님께서는 중풍병자의 현실적인 문제를 해결해 주시기 전에 영적인 문제, 곧 죄들을 용서하셔야 했다. 이는 산상설교에서 천국의 도래에 앞서 "하나님의 나라와 그분의 의를 구하라"(마 6:33)고 하신 것과 같은 맥락이다. 즉 영적인 회복이 선행되어야 했던 것이다. 예수님께서는 이렇게 표적을 행하시기 전에 먼저 백성들을 가르치시고 말씀을 선포하셨다(4:23; 9:35).

중풍병자의 "죄의 용서와 치유"는 영적으로 타락한 이스라엘의 모습을 여실히 드러내고 있다. 이에 그들은 표적을 보면서 예수님을 메시아 왕으로 받아들여 그들의 죄를 용서받고 민족적으로 회복되는 치유를 받아야 했다.

4. 표적에 대한 바리새인들의 반응 1

바리새인들은 중풍병자의 죄를 용서하시고 병을 고치신 일 모두가 하나님께 속한 일이라는 사실을 잘 알고 있었다. 그래서 그들은 "자기들 나름의 확신"을 가지고 예수 그리스도를 비난했다. 하지만 바리새인들은 부인할 수 없는 치유의 표적을 통해서 예수님께서 죄들을 용서할 수 있는 권세를 가지신 하나님이심을 분명히 목도하게 된다. 그런데도 완고한 바리새인들은 하나님께 영광을 돌리는 무리들(막 2:12)과는 정반대로 예수 그리스도를 죽이려고 했다(막 3:6). 이것이 바로 "결코 이해할 수 없는 문제에 대한 죄인들의 반응"이다(창 4:5, 고전 2:14).

세리 "마태"를 부르심(9-13절)

1. 부르심에 대한 마태의 반응

마태는 "세리"로서, 그 당시 유대인들의 눈에 동족의 피를 빨아먹는 죄인에 불과했다. 하지만 그런 그를 주님께서 "나를 따라오라"며 부르셨을 때, 그는 그 부르심에 즉각 응하게 된다(9절). 이것은 죄인들을 부르시는 "하나님의 은혜"에 대한 신약적인 그림을 보여 준다. 마태뿐만 아니라, 어부였던 "베드로와 안드레"(4:19) 그리고 "빌립"(요 1:43)도 부르심에 응했다. 이처럼 주님께서는 다양한 사람들을 부르신다. 그러나 부르심을 받은 사람들이 모두 그 부르심에 순종한 것은 아니었다(마 8:19-22). 왜냐하면, 그 부르심에는 자기 십자가를 지는 일이 반드시 선행되어야 하기 때문이다(마 10:38).

▪ 신약 성도들을 향한 부르심의 목적 ▪

우리를 위해 고난을 받으시고, 우리에게 한 본을 남겨 놓으신 "예수 그리스도의 발자취를 따르게"(벧전 2:21) 하시려는 목적으로, 하나님께서는 우리를 구원하시고 또 "거룩한 소명"(딤후 1:9)으로 부르신다.

2. 죄인들을 향한 바리새인들의 비방

"세리들과 죄인들"과 함께 식사하시는 예수님의 모습은 당시 종교지도자들에게는 받아들일 수 없는 모습이었다. 하지만 예수님께서는 늘 죄인들을 초청하셨고, 누구든지 주님께로 돌이키면 받아주셨다(요 6:35,37). 사실 식사에 초대된 사람 중 그 누구라도 예수님을 제외하고는 모두가 죄인들이었다. 그런데도 바리새인들은 "자신을 의롭다고 여기고, 다른 사람들은 멸시"했다. 이런 자들을 향해 주님께서는 "자주 금식하고 십일조도 드리는 의로운 사람"과 "차마 눈을 들지 못한 채 가슴을 치며, 하나님께 자비를 구하는 세리"의 비유로 그들의 양심을 찌르셨다(눅 18:9-13). 그렇게 해서 예수님께서는 위선자들인 바리새인들에게 "자비를 원하는 자들에게 자비를 베푸시며, 자비를 원하지 않는 자들에게는 오직 주의 진노만 있을 뿐"임을 상기시키셨던 것이다(호 6:6).

3. "너희는 가서... 말씀의 의미를 배우라."

율법에 관해 그 누구보다도 더 잘 알았던 종교지도자들이 죄에 대한 회개보다는 오히려 자신의 의를 내세우고 있었다. 예수님께서는 그런 종교지도자들에게 율법의 행위로는 할 수 없었던 그 일을 이제 하나님께서 자비를 통해 "하나님의 의"를 그들에게 이루시게 한다는 사실을 배우라고 말씀하신다. 우리 또한 하나님의 말씀의 참 의미를 배워야 한다. 그렇게 하려면 진리의 말씀을 올바로 나누어 공부함으로써(딤전 2:15) 선한 일에 철저히 갖춰져야 한다(딤후 3:16,17, 엡 2:10). 그런 사람만이 담대하게 진리를 선포할 수 있게 된다(행 4:13).

"금식"에 관한 논쟁(14-17절)

1. "신혼방의 아이들"과 "신랑"

요한의 제자들도 바리새인들에게 질세라 "금식"을 언급하며 논쟁에 불을 붙였다(14절). 그러면서 금식을 자주 하는 자신들이 주님의 제자들보다 우월하다는 듯, 바리새인처럼 "자기 의"를 슬며시 드러냈다. 이에 주님께서는 진정한 금식은 지금이 아니라 "신혼방의 아이들"(이스라엘)이 "신랑"(예수님)을 빼앗길 그날에 있을 것임을 밝히고 계신다. 이 말씀은 일차적으로 예수님의 부활 이후에 남겨진 제자들에게 적용되지만(요 14:28, 행 13:1-3), 미래에 있을 대환란 가운데서 "금식하며 울부짖게 될 이스라엘"에 대한 예언적 의미를 담고 있다(욜 2:12).

2. "새 포도주"와 "새 가죽 부대"

"낡은 옷"과 "낡은 가죽 부대"는 "새 천 조각"과 "새 포도주"의 요건을 충족시킬 수 없기에 무엇인가 새로운 것이 필요한 상황임을 암시하고 있다. 즉 "예수 그리스도의 부활 이전의 사역과 이후의 사역 간의 대조"를 보여 주는 것이다. 특히 여기서 언급하신 "새 포도주"(new wine)는 "성령의 모형" 중 하나로(행 2:13, 엡 5:18), 구약에서처럼 몸에 들어왔다 나가시는 분이 아니라 "내주하시는 분"으로서의 성령을 나타낸다(요 14:16, 엡 4:30). 말하자면 "낡은 가죽 부대"(이스라엘)가 아닌 성령께서 내주하실 "새 가죽 부대," 곧 다가올 경륜(세대)에 "새롭게 태어날 백성"에 관한 필요성을 계시하시는 것이다.

표적 2 : 유출병 여인을 치유하심(20-22절)

"관원의 딸"(12세)과 "유출병을 앓던 여인"(12년)은 모두 숫자 "12," 곧 이스라엘과 관련이 있다. 우리는 이 사건들을 미래에 있을 이스라엘의 치유와 회복(부활)에 예언적으로 적용해 볼 수 있는데, 무엇보다 "야곱의 고난의 때"(대환란)를 지나면서 강력한 민족으로 새롭게 태어날 이스라엘에 관해 적용할 수 있다(겔 37장, 롬 11:25-27).

표적 3 : 관원의 딸을 살리심(18,19,23-26절)

예수님께서는 많은 표적들을 행하셨다. 그중에서도 특히, 죽은 자를 살리시는 표적은 그분이 메시아 왕이심을 증명하는 강력한 표적이다. 그 강력한 표적을 "말씀 그 자체이시며, 생명이신 예수님"(요 1:1)의 입에서 나온 말씀으로 행하셨다. 죽었던 "나인 성 과부의 아들"과 마리아의 오라비 "나사로"를 살리시는 표적 역시(눅 7:15, 요 11:43) 예수님의 입으로 나온 말씀으로 행하셨다. 예수님께서 메시아이심을 나타내는 이런 강력한 증거에도 불구하고, 유대인들은 "네가 이스라엘의 왕이면 지금 십자가에서 내려와 보라. 그러면 우리가 믿겠노라!"(마 27:42)라고 말하면서 주님을 완강하게 거부하고 말았다.

〈관원의 딸과 유출병을 앓던 여인 비교〉

관원의 딸(18,25절)	유출병을 앓던 여인(20-22절)
12년을 살다가 방금 죽었다.	12년 동안 병을 앓아 왔다.
딸의 아버지가 주님 앞에 엎드려	병을 앓던 그 여인이 주의 뒤로 와서 겉옷단을 만짐
안수하여 주소서. 그러면 그 아이가 살아나겠나이다.	내가 그분의 옷을 만지기만 하여도 낫게 되리라.
주께서 그 소녀의 손을 잡으시니 소녀가 일어나는지라.	네 믿음이 너를 낫게 하였도다.

금방 죽은 "관원의 딸"과 "12년간 유출병을 앓아온 여인"의 경우, 그들이 처한 상황과 주님께서 역사하시는 모습은 똑같지 않다. 이처럼 오늘날 교회 시대에도 성도들 안에서 능력으로 임하시는 "하나님의 역사" 또한 다양하다(고전 12:6).

표적 4 : 소경의 눈을 뜨게 하심(27-31절)

1. "너희는 내가 이 일을 할 수 있다고 믿느냐?"

두 소경은 예수 그리스도께서 "다윗의 아들"로서 자신들을 치유하실 수 있으신 분임을 확실히 믿고 있었다. 반면에 "본다고 하는 바리새인들"은 오히려 예수님을 선생으로 비하하면서 정면으로 주님을 거부했다. 바로 이런 자들에 의해 천국이 폭력으로 탈취되었던 것이다. 또한 이들에 의해 "천국의 문"도 가로막히게 되었다(마 11,12장).

■ 응답받는 기도는 신뢰에서 비롯된다. ■

중풍병자를 데리고 온 사람들과 관원 그리고 12년간 유출병을 앓던 여인과 소경들은 모두 간절함과 절박함 가운데 주님을 신뢰하며 나아갔다. 하지만 이스라엘의 종교지도자들은, 고난의 용광로인 이집트에서 부르짖었을 때 응답하셨던 주님을 신뢰하지 않았고 늘 의심했다. 그래서 예수님께서 행하신 일들을 깨닫지 못했던 것이다.

『수고하고 무거운 짐진 자들아, 다 내게로 오라. 그러면 내가 너희에게 쉼을 주리라.』(마 11:28)라고 약속하신 분께 나아오라. 그리고 주님께 죄와 의심의 짐을 온전히 내어 맡기라. 그러면 주님께서 역사하신다!

■ 새롭게 깨달았거나 적용할 내용이 있다면 적어 보세요. ■

표적 5 : 벙어리를 치유하심(32-34절)

1. 마귀에게 사로잡힌 벙어리

"사로잡히다"(possessed)라는 표현은 누군가의 소유가 된다는 뜻이다. 마귀는 그리스도인을 자신의 종으로 만들기 위해 조금씩 그가 가진 것들을 점유해 나가기 시작한다. 처음에는 그의 시선을 빼앗고, 뒤이어 마음과 생각을 빼앗고, 끝내 그의 몸을 "불의의 병기"로 삼아 버린다. 그러므로 "누구든지 정복을 당하면 그는 정복한 자의 종"이 된다는 사실을 명심해야 한다(벧후 2:19).

2. 표적에 대한 바리새인들의 반응 2

예수님의 표적에 대해 바리새인들은 『**일찍이 이스라엘에서 이런 일을 본 적이 없도다.**』(33절)라고 말하는 무리들의 반응과 상반된 반응을 보였다. 『**그는 마귀들의 통치자를 힘입어 마귀들을 쫓아낸다**』(34절). 그들이 표적들을 보고서도 믿지 않은 이유는 주님을 자신들의 메시아 왕으로 받아들일 마음이 전혀 없었기 때문이다. 오히려 위선자인 바리새인들은 자신들이 통치자의 자리에 계속 머물기를 바랐다. 이것이 바로 하나님의 보좌를 찬탈하려는 마귀의 속성이었으니, 그들은 자신들의 아비인 마귀를 따라 행하고 있었던 것이다(요 8:44).

계속되는 왕국 복음의 전파(35-38절)

예수님에 앞서서 왕의 길을 예비하며 천국의 도래를 알렸던 침례인 요한을 선두로 하여, 이제 예수님께서는 왕국 복음을 전파하시고 표적들을 행하심으로써 "천국이 가까이 왔음"을 알리셨다. 하지만 종교지도자들인 바리새인들은 왕국 복음을 거부했다. 그런데도 예수님께서는 성읍을 두루 다니시면서 가르치셨고, 왕국 복음을 전파하시면서 그들의 모든 질병을 고쳐 주셨다(35절).

이런 일련의 과정들 속에서 예수님께서 보신 이스라엘 백성들의 모습은 마치 목자 없이 지치고 흩어진 불쌍한 양 같았다(36절). 이제 주님께서는 이들을 위한 일꾼들로 열두 제자들을 부르신다(37,38절; 10:1). 하지만 이스라엘은 끝내 그들의 왕을 거부한다. 이에 왕국 복음은 감추어진 채 은혜의 복음이 전파되는 교회 시대를 맞게 된다. 하지만 교회가 휴거된 이후 대환란 기간에 "두 증인"(모세와 엘리야)이 다시 이 복음을 전파할 것인데, 그들과 함께할 이스라엘의 열두 지파에서 선정된 144,000명의 일꾼들은 이방인들에게 왕국 복음을 증거할 것이다(마 24:14).

■ 새롭게 깨달았거나 적용할 내용이 있다면 적어 보세요. ■

제3과
복습문제

1. 중풍병자를 걷게 하심으로써, 예수님께서는 자신이 "죄들을 용서할 권세를 가지신" (   )이심을 직접 증명하셨다.

2. 진정한 금식은 "신혼방의 아이들"이 "신랑"을 빼앗길 그날에 있게 될 것인데, 이것은 "대환란 기간에 금식하며 울부짖게 될 이스라엘"에 대한 예언적 의미를 담고 있다. (O , X)

3. "새 포도주(new wine)"는 (   )의 모형 중 하나로(행 2:13, 엡 5:18), "내주하시는 분"으로서의 성령을 나타낸다. 그러므로 성령께서 내주하실 "새 가죽 부대"는 다가올 경륜(세대)에 "새롭게 태어날 백성"에 관한 언급이다.

4. 소경들은 예수님께서 "다윗의 아들"로서 자신들을 치유하실 분임을 확신한 반면, 본다고 하는 (   )들은 표적을 보고서도 믿지 않았다.

5. 예수님께서는 치유의 표적들을 행하시기 전에 먼저 백성들을 회당에서 가르치시고, (   ) 복음을 전파하셨다(마 9:35).

■ 복습 문제의 정답은 홈페이지(www.solomonbtc.org)에서 확인할 수 있습니다.

NOTES

NOTES

제4과

천국 복음을 위임받은 열두 사도(10장)

『주께서 자기 열두 제자들을 부르시어 그들에게 더러운 영들을 쫓아내며 모든 병과 모든 허약함을 치유하는 권세를 주시더라』(마 10:1).

천국 복음의 이어지는 맥

침례인 요한은 "회개하라. 천국이 가까이 왔느니라."라고 말하며 천국 복음을 전파했다. 이스라엘로 하여금 그들의 메시아 왕을 맞이할 준비를 하게 만들면서 메시아 왕의 길을 예비한 것이다. 그리고 그들이 기다리던 왕이 탄생했고(2장), 그들 앞에 드디어 공개적으로 나타나심으로써 이스라엘을 위한 그분의 공생애 사역이 시작되었다(3장). 예수님께서는 목자 없이 지치고 흩어진 양 같은 이스라엘을 향해 천국 복음을 전파하시고, 병 고침과 마귀들을 내쫓는 표적들을 행하심으로써 자신이 구약에서 예언된 그분이심을 분명히 밝히셨다(4:23). 또한 왕국으로 인도하시고자 백성에게 왕국 법령을 선포하셨다(5-7장). 이에 많은 무리가 주님을 따르기 시작했다(8:1).

하지만 천국의 문을 가로막는 위선자들과 거짓 선지자들로 인해 천국이 거부될 것을 미리 아셨던 주님께서는 백성들에게 그들을 주의하라는 경고 또한 잊지 않으셨다. 이제 주님께서는 이스라엘을 향한 왕국 복음 전파를 위해 열두 제자들을 부르시어 마귀들을 쫓아내고, 병을 치유하는 권세를 주신다. 제자들에게 위임하신 이 복음은 "천국 복음"이었기 때문에, 주님께서 행하시던 그 능력을 제자들에게 주셨다. 그래서 제자들은 예수님과 같은 치유의 "표적"을 행하게 된다(10:1). 결국 침례인 요한으로부터 시작된 왕국 복음은 예수님께서 표적들을 행하심으로써 본격화되었고, 이제 그의 열두 제자에게로 이어진다.

열두 사도에게 맡겨진 천국 복음(1-8절)

예수님께서 전파하신 "천국 복음"은 이 시대에 전파되는 "은혜의 복음"과는 달리 표적을 동반한다(마 4:23). 그래서 제자들을 부르시고 사역을 맡기셨을 때, 예수님과 동일하게 치유의 표적을 행할 수 있는 권세를 주셨다. 같은 맥락에서 바울을 부르실 때도 복음을 위한 능력을 주셨다(빌 4:13). 다만 본문의 열두 제자와 다른 점이 있다면 바울에게 맡겨진 것은 "은혜의 복음"이라는 점이다.

"사도"라는 말은 "보내심을 받은 자"라는 뜻인데, 이 뜻을 지닌 라틴어 "미시오"(missio)라는 말에서 "선교"(mission)라는 단어가 파생되었다. 그래서 "선교사"라는 단어도 "보내심을 받은 자"라는 의미를 지니게 된다. 열두 사도에게 주어진 임무(mission)는 "왕국 복음"을 유대인들에게 전파하는 것이었다. 오늘날 선교사들의 임무는 세상 모든 나라에 "은혜의 복음"을 전파하는 일이다. 만약 이 시대에 은혜의 복음 외에 어떤 다른 복음을 전하면 그는 저주를 받게 된다(갈 1:8).

1. 성경에 나타난 열두 사도들

성경에는 "동명이인"이 종종 등장하는데, 그중에서도 신약 성경에 등장하는 "야고보"(세베대의 아들, 알패오의 아들, 요셉의 아들)는 매우 특별하다. 성경에 나오는 여러 야고보를 명확히 구분하지 않으면 "야고보서의 저자"와 "유다서의 저자" 그리고 "동정녀 마리아의 영원한 처녀성"에 관해 공부할 때 혼란에 빠지기에 십상이다. 특히 "요셉"의 아들 "야고보"는 예수님의 아우로서(갈 1:19, 마 13:55, cf. 고전 15:5,7), 로마카톨릭이 주장하는 마리아의 영원한 처녀성을 정면으로 반박한다.

마태복음 (10:2-4)		마가복음 (3:16-19)		누가복음 (6:14-16)		사도행전 (1:13)	
시몬 (베드로)	(1)		(1)	-	(1)	-	(1)
안드레 (베드로의 형제)	(2)	-	(4)	-	(2)	-	(4)
야고보 (세베대의 아들)	(3)	보아네게 (천둥의 아들들)	(2)	-	(3)	-	(2)
요한 (야고보의 형제)	(4)		(3)	-	(4)	-	(3)
빌립	(5)	-	(5)	-	(5)	-	(5)
바돌로매	(6)	-	(6)	-	(6)	-	(7)
도마	(7)	-	(8)	-	(8)	-	(6)
마태 (막 2:14)	(8)	-	(7)	-	(7)	-	(8)
야고보 (알패오의 아들)	(9)	-	(9)	-	(9)	-	(9)
렙배오 (별명 : 다대오)	(10)	다대오	(10)	유다 (cf. 유1:1)	(11)	유다 (야고보의 형제)	(11)
카나안인 시몬	(11)	-	(11)	"셀롯" 시몬	(10)	셀롯 시몬	(10)
유다 이스카리옷	(12)	-	(12)	-	(12)	×	(12)

✍ 이 표에서 사도들의 이름 우측에 (1)부터 (12)까지 표기된 숫자들은 각 성경에서 사도들의 이름이 제시된 순서를 표시한 것이다.

2. 천국 복음의 대상(5,6절)

산상설교(마 5-7장)가 대환란을 겪고 천년왕국에 들어갈 유대인을 향한 설교인 것처럼, 제자들에게 위임된 천국 복음 또한 "이스라엘의 잃어버린 양," 곧 유대인을 대상으로 전파된 복음이다. 따라서 5절에서 말씀하시는 "이방인들의 길"은 결코 불신자들의 길이 아닌데, 왜냐하면 이때는 아직 십자가 이전 상황으로 교회가 아직 나타나지도 않았기 때문이다. 그러므로 말씀에 대한 "정확한 해석과 올바른 적용"을 위해서는 "그리스도인에게 주어진 약속"과 "이스라엘에게 주신 약속"을 명확히 구분해야 한다.

3. 천국 복음의 내용(7절)

열두 사도들이 전파한 천국 복음에는 "거듭남"이나 "예수 그리스도의 보혈에 의한 구속"에 관한 내용이 전혀 없다. 오직 "천국이 가까이 왔다"(7절)는 내용만 들어 있었다. 말하자면 예수님께서 다윗의 보좌에 앉으셔서 직접 통치하실 그들의 메시아 왕으로 오셨고, 이스라엘이 그분을 받아들임으로써 이 땅에 진정한 왕국이 임하게 될 것이라는 사실을 유대인들에게 알리는 복음이었다.

4. 표적을 동반한 천국 복음(8절)

이스라엘은 출애굽 당시 모세를 통해 표적으로 시작된 민족이었고(출 4:1-6; 15:26, 신 26:8), 그런 그들을 주님께서는 잘 알고 계셨다(고전 1:22). 따라서 병 고침과 같은 표적이 동반되는 천국 복음은 오직 이스라엘을 위한 것이었다. 따라서 표적은 이스라엘 백성들에게 예수님께서 "구약에서 예언된 천국의 왕"(사 35:4-6)이심을 증명하는 방법이었다. 하지만 이스라엘의 거부로 인해 천국은 연기되었고, 대환란 기간에 "적그리스도"(단 2,7장)에 의해 박해받게 될 그들은 예수 그리스도의 재림 때 민족적으로 구원받고 회복될 것이다.

사도에게 주신 명령과 약속들(8-15절)

1. 값없이 받았으니 값없이 주라

"은혜의 복음"이든 "천국 복음"이든 모두 값없이 전파해야 한다. 만약 값을 받고 전파하는 자들이 있다면 그들은 "삯꾼들"이다(요 10:12). 그런데 은사주의 자들은 사도들에게 주어진 치유의 표적이 자신들에게 주어졌다고 거짓말하면서 소위 신유와 귀신 쫓는 행세를 하되 돈을 받고 함으로써 스스로가 삯꾼임을 드러내고 있다. 이 삯꾼들은 거짓말쟁이요 도둑이며 강도들일 뿐이다(요 10:1).

2. 주의 일꾼은 주께서 먹이신다

이 약속은 먼저 천국 복음을 전파하는 사도들에게 주어졌다(마 6:25-31). 이들은 오직 은혜로 채우시는 주님만을 의지하며 복음을 위해 "여행"하는 순례자들이다(히 11:13). 하지만 이 말씀은 오늘날 은혜의 복음을 전파하는 일꾼들에게도 동일하게 주어지는 변함없는 하나님의 약속이다(고전 9:9, 딤전 6:8).

3. "합당한 사람" vs. "더 큰 심판"

11절의 "합당한(worthy) 사람"은 전파된 메시지, 곧 "천국 복음"을 받아들일 준비가 된 사람을 가리킨다. 복음을 기꺼이 받아들임으로써 그 집은 복음에 합당하게 되어(cf. 행 13:46) 화평이 그곳에 머물게 된다(히 11:31). 하지만 이 복음을 거부한 자들은 그 죄가 "소돔과 고모라"의 성적 문란의 죄보다 더 사악하고 "투로와 시돈"의 우상숭배의 죄보다 더 극악하기에 "더 큰 심판"을 받게 된다. 그 경고대로 이스라엘은 1,900년 이상의 참혹한 세월을 보내야 했지만, "야곱의 고난의 때"에는 그보다 더 큰 심판을 받게 된다.

오늘날 자신이 지은 사악한 죄에 대한 법원의 판결이 제아무리 가혹할지라도, "은혜의 복음을 거부한 죄인들이 겪게 될 영원한 지옥의 심판"보다는 훨씬 더 견디기 쉬울 것이다.

사도들을 향한 당부의 말씀(16-33절)

예수 그리스도께서는 제자들에게 천국 복음을 전하면 어떻게 되는지 그리고 어떻게 처신해야 하는지 하나씩 하나씩 알려 주신다. 예수님께서는 제자들에게 그들이 공회에 넘겨지고, 매질을 당하며, 총독들과 왕들 앞에 불려가게 될 것이고, 더욱더 미움을 받고 박해를 받으며, 죽음에까지 내어지게 될 것이라고 말씀하신다. 그래서 예수님께서는 천국 복음을 증거하게 하려고 제자들을 보내는 것이 마치 양을 이리들에게 먹잇감으로 내어주는 것과 같다고 말씀하시면서, 그들에게 뱀처럼 지혜롭고 비둘기처럼 순수하라는 당부를 잊지 않으신다. 이러한 일들은 일차적으로 당시의 사도들에게 적용되는 말씀이다. 더 나아가서는 머지않은 미래의 대환란 기간에 천국 복음을 전할 유대인들에게도 동일하게 적용된다.

1. 뱀처럼 지혜롭고 비둘기처럼 순수하라(16-21절)

17절에서 예수님께서는 증인들을 박해하는 도구로써 "공회"를 언급하신다. 이러한 공회(니케아, 바티칸 등)는 역사적으로 성경대로 믿는 사람들을 박해하는 대표적인 도구로 사용되어 왔다. 따라서 이에 대한 대응으로 시대를 막론하고 복음의 증인들에게 필요한 것이 바로 "순수함과 지혜"이다. "뱀처럼 지혜롭고 비둘기처럼 순수하라"는 이 말씀은 죄와 타협하지 않는 순수한 믿음을 가지되, 악을 미리 보고 피할 수 있는 총명한 자가 되라는 명령이다(잠 22:3). 이것은 오직 주를 두려워하고 말씀에 순종할 때만 가능하다(시 19:8).

압살롬은 순진한 사람들의 마음을 도둑질하여 자신의 편에 서게 했고, 백성들은 그 계략에 속았다(삼하 15:6). 반면에 다니엘과 세 친구는 이방의 음식을 먹도록 강요받았을 때, 하나님을 두려워함으로써 지혜 가운데 거룩함을 유지했다(단 1:8-13). 이것이 성별을 위해 하나님께 지혜를 구하는, "하나님을 두려워하는 자들의 자세"이다.

2. 끝까지 견디라(22,23절)

"끝"(the end)이라는 말은 성경에서 항상 "어떤 기간의 끝"을 의미하는 것으로, 천년왕국 도래 이전에 있을 "대환란의 끝"을 의미한다. 따라서 "끝까지" 견디라고 하신 것은 자신이 죽을 때까지 견뎌서 구원받으라는 의미가 아니다. "인자가 올 때까지," 곧 왕국이 도래할 때까지 왕국 복음을 전파하는 자들로서 박해자들로부터 받게 되는 미움과 증오로부터 견디라는 의미이다(23절).

특히 "이스라엘 성읍을 다 다녀보지 못하리라"는 말씀은, 사도행전 28장 이전에 제자들이 이스라엘에 대한 증거를 모두 마쳤기 때문에, 이것은 교회 시대를 넘어

"야곱의 고난의 때"를 향한 예언적인 언급으로 적용해야 한다(렘 30:7, 단 12:1-3).

3. 하나님을 두려워하되, 담대하게 전파하라(24-33절)

복음은 늘 공개적으로 선포되어야 한다. 이것은 사람을 두려워하지 않고 오직 주님만을 두려워하는, 주님을 사랑하는 자들의 "시인"을 통해서만 이루어지는 일이다. 특히 초림 당시의 왕국 복음은 예수님 한 분에서 시작하여 열두 제자들로 확산되어 전파되었고, 오늘날 교회 시대에 은혜의 복음은 기록된 말씀과 각종 매체를 통해 널리 "드러나게" 전파되고 있다.

■ "두려워하라"와 "두려워하지 말라" ■

성경에는 "두려워하라"와 "두려워하지 말라"는 상반되는 내용이 등장한다. 『**그리스도의 날이 가까웠다고 마음이 쉽게 흔들리거나 두려워해서는 안 될 것이라.**』(살후 2:2)라고 하시면서도, 『**하나님을 두려워함으로 거룩함을 온전히 이루어 육과 영의 모든 더러움에서 우리 자신을 깨끗하게 하자.**』(고후 7:1)라고 권면하시는 것이다. 이 말씀들을 종합해 보면, 결국 하나님 한 분만을 두려워하되, 하나님께서 이루시는 일들이나 그 외의 것들에 대해서는 전혀 두려워하지 말라는 명령임을 알 수 있게 된다.

"칼"을 주러 오신 예수님(34-36절)

1. 성령의 칼

성경에서 하나님의 말씀은 "양날 가진 칼"(히 4:12)이며, "성육신하신 예수 그리스도 그분 자체"(요 1:1,2,14)이시다. 그 칼에 의해 대적들이 하나님의 자녀들과 분리되며, 진리와 비진리가 나눠진다. 메시아 왕으로 오신 주님께서는 "왕국의 통치자"로서 궁극적으로는 이 땅에 화평을 주시겠지만(사 2:4; 9:6), 그 전에 자기를 반대하는 자들을 주님의 입에서 나오는 칼로 반드시 제거하셔야만 한다(계 19:21).

2. 치유와 회복의 칼

칼의 또 다른 용도는 악을 제거하고 치유하는 데 있다. 치료가 필요한 환자는 수술을 받고 회복된 이후에야 비로소 평안한 삶을 영위할 수가 있다(욥 5:18, 사 30:16). 이처럼 주님께서는 이스라엘을 치유하실 필요가 있으셨기에 먼저 칼을 주셨고, 치유된 이후에는 화평을 주실 것이다(눅 2:14). 거듭난 자녀 또한 하나님의 말씀을 통해 몸과 혼이 분리되는 영적 수술, 곧 영적 할례를 받았다(골 2:11). 그 결과로 원수였던 죄인이 하나님과 영원한 화평을 이루게 되었다. 이것이 "하나님의 영적 원리"이다.

■ "합당함"에 대한 판단 기준(37,38절) ■

주님께서는 자기 십자가를 지시고 생명을 아끼지 않으셨다. 그리고 자신을 신실하게 따르는 그리스도인들을 합당하게 여기신다. 반면에 세상은 그런 자녀들을 향해서 "세상을 혼란케 하는 자"라는 그릇된 판단을 내리고 있다. 왜냐하면, 이스라엘을 구원하려고 오신 예수님께서도 "범죄자들과 더불어 헤아림을 받으셨고 거치는 돌"이 되셨기 때문이다. 이것이 바로 "세상이 주님과 그의 자녀들을 바라보는 판단 기준"이다.

다시 드러날 왕국 복음(40-42절)

1. “거부된” 왕국 복음

메시아 왕으로 오신 예수님과 그의 열두 제자들이 “이스라엘의 잃어버린 양”에게 전파했던 왕국 복음은 마태복음 11,12장에서 계속 거부되어, 결국 천국은 신비의 형태로 감추어지게 된다(13장). 이스라엘의 민족적인 거부와 예수님의 죽으심에만 초점을 두고 본다면, 이스라엘을 향한 왕국 복음과 그들의 회복을 위한 하나님의 계획은 아예 수포로 돌아간 것처럼 보인다.

2. 십자가 후에 “이어지는” 왕국 복음

부활하신 주님께서는 제자들에게 또다시 지상명령을 내리시는데, 문맥적으로 볼 때 이것은 “왕국 복음”에 관한 것이었다(cf. 막 16:14-20). 그 이유는 주님께서 승천하신 후에 베드로가 이스라엘 백성들에게 “회개의 침례”를 전파했고(행 2장), 스테판 역시 유대인들에게 마지막으로 회개를 촉구함으로써 왕국 복음을 전파했기 때문이다(행 7장).

3. “감추어진” 왕국 복음

그러나 또다시 완강하게 거부하는 이스라엘로 인해 왕국 복음은 더 이상 그들에게 전파되지 않았다. 이후로는 “은혜의 복음”이 전파되기 시작했는데, 특히 이방인들에게 전파되었다. 이방인의 사도로 부르심을 받은 바울은 동족 이스라엘을 향한 연민 때문에 그들에게 먼저 은혜의 복음을 지속해서 전파했지만, 결국 유대인들은 이를 거부했다. 사도 바울은 사도행전 28장에 가서야 비로소 이방인들에게로 완전히 돌아서게 된다(행 28:28).

4. "드러나는" 왕국 복음

이제 잠시 후면 교회의 경륜이 끝나고, 다시금 유대인의 경륜이 중심이 되는 대환란이 시작될 것이다. 이 기간에는 은혜의 복음이 아닌 "천국 복음"이 다시 전파된다. 특히 사도들에게 주어진 동일한 권세와 표적이 환란 시대의 복음 전파자들에게 주어질 것이다(막 16:17,18). 이 기간에 그들을 영접하고 복음을 받아들이는 자에게는 화평이 임할 것이고(13절) "선지자의 상과 의인의 상"을 받게 될 것이다. 동시에 많은 대적자가 일어나서 유대인들을 박해할 것이지만, 유대인들을 선하게 대한 이방인들은 "양의 민족"으로 분류되어 천년왕국의 백성으로 왕국의 복에 참여하게 된다(마 25:31-46).

주 예수 그리스도를 당시 이스라엘이 그들의 메시아 왕으로 기꺼이 영접했더라면, 주님의 고난과 부활 이후에 있게 될 교회 시대는 오늘날처럼 2천 년의 기간이 아닌 아주 짧은 기간으로 끝났을 것이고, 천국(천년왕국)은 구약의 연속선상에서 이 땅에 곧바로 도래했을 것이다.

■ 새롭게 깨달았거나 적용할 내용이 있다면 적어 보세요. ■

제4과 복습문제

1. 사도들에게 위임하신 복음은 "(   ) 복음"이었기에, 주님께서 표적으로 행하시던 능력을 그들에게도 주시어 행하게 하셨다(마 10:1).

2. 예수님께서 열두 제자에게 위임하신 "천국 복음의 대상"은 유대인과 이방인이다. (O , X)

3. "(   )처럼 지혜롭고, (   )처럼 순수하라"는 말씀은 죄와 타협하지 않는 "순수한 믿음"을 가지되, 악을 미리 보고 피할 수 있는 "총명한 자"가 되라는 명령이다.

4. 성경에서 "끝(the end)"이라는 말은 항상 "어떤 기간의 끝"을 의미하는 것으로, 다가올 세상인 천년왕국 이전의 "대환란 끝"을 뜻한다. (O , X)

5. 메시아 왕으로 오신 주님께서는 천국의 통치자로서 궁극적으로는 이 땅에 화평을 주시겠지만(사 9:6), 그 전에 자기를 반대하는 자들을 주님의 입에서 나오는 (   )로 반드시 제거하셔야만 한다(계 19:21).

■ 복습 문제의 정답은 홈페이지(www.solomonbtc.org)에서 확인할 수 있습니다.

NOTES

제5과

왕을 거부한 세대 (1)

천국을 힘으로 차지하려는 자들(11장)

『침례인 요한의 때로부터 지금까지 천국은 폭력을 겪고, 폭력을 쓰는 자들이 힘으로 그것을 차지하느니라』(마 11:12).

마태복음 11장은 메시아이신 예수 그리스도께서 가져오시려는 왕국이 그분의 백성에게 거부당하는 모습을 다루고 있다. 특히 침례인 요한에 관한 주님의 평가가 주를 이루는데, 침례인 요한은 예수 그리스도의 왕국 선포와 관련하여 매우 중요한 인물이다. 특히 요한은 한 세대를 마무리하는 위치에 있기 때문에, 이 요한을 거부하는 것이 곧 천국을 거부하는 것이 되며, 이로써 천국은 연기되고 또 다른 세대인 교회의 시대가 도래하게 된다.

제자들의 성읍에 전파하러 가신 예수님(1절)

1. 마태복음 11:1은 주님께서 열두 제자의 성읍에서 가르치시기 위해 떠나셨다고 말씀한다.

『예수께서 그의 열두 제자에게 지시하시기를 마치신 후에, 그들의 성읍들에서도 가르치며 전파하기 위하여 그곳을 떠나시더라』(1절).

위의 마태복음 11:1의 본문에서 **『그들의 성읍』**은 문맥상 **『열두 제자』**가 사는 지역인 갈릴리 바다 근처 지역을 가리킨다. 그래서 마태복음 11:20-24에서는 갈릴리 바다 북쪽에 있는 코라신, 벳새다, 카퍼나움이 언급된다.

침례인 요한의 질문(2-5절)

1. 감옥에 있던 침례인 요한은 그리스도께서 하신 일들을 전해 듣고서 제자 가운데 둘을 보내어 "당신이 오실 그분이시니이까? 아니면 우리가 또 다른 분을 기다려야 하리이까?"라고 물었다(2,3절).

『예수께서 대답하여 그들에게 말씀하시기를 "가서, 너희가 듣고 보는 일들을 다시 요한에게 전하라. 소경들이 보고, 절름발이들이 걸으며, 문둥병자들이 깨끗해지고, 귀머거리들이 들으며, 죽은 자들이 일으켜지고, 가난한 자들에게 복음이 전파된다 하라. 나로 인하여 실족하지 않는 자는 누구나 복이 있도다." 하시니라』(4,5절).

예수님께서는 그분 자신이 예언된 메시아이심을 "표적"으로 증거하셨다. 예수님께서 말씀하신 **『너희가 듣고 보는 일들』**(4절)은 주님께서 행하신 사역들과 놀라운 이적들을 언급하는 것인데, 주님께서는 그것들로 자신이 하나님이시자 메시아이심을 증명하셨던 것이다. 주님의 표적들은 그분이 왕이시라는 사실 외에, 그분 자신이 하나님이시라는 사실을 증명한다.

예수님께서 언급하신 표적들은 "이사야서"에 예언된 것들이었으며, 바로 그 표적들을 행하시는 주님 자신이 예언된 그 메시아이심을 요한에게 알려 주셨던 것이다. **『그때에 소경의 눈이 뜨이며 귀머거리의 귀가 뚫리리라. 그때에 절름발이가 사슴처럼 뛰고 벙어리의 혀는 노래하리라. 광야에는 물이 솟아나오며 사막에는 시내가 흐르리라』**(사 35:5,6). [이 예언은 그 끝부분에서 천년왕국 때 있을 환경적 변화를 다루고 있기 때문에, 초림 때 유대인들이 예수님을 메시아

로 영접했더라면 초림과 재림이 동시에 이루어질 수 있었음을 보여 준다.]

침례인 요한에 대한 예수님의 평가(7-15절)

1. 요한의 성품과 외양(7,8절)

요한은 바람에 흔들리는 갈대처럼 연약한 사람도 아니었고, 왕궁에 있는 사람처럼 부드러운 옷을 입은 사람도 아니었다. 요한은 왕에게 직접 지시하여 그를 바르게 살도록 힘쓸 정도로 강한 사람이었다(막 6:20). 그는 부드러운 옷이 아닌 낙타털로 만든 옷을 입고 다녔다(마 3:4).

2. 선지자보다 더 훌륭한 "만군의 주의 사자"(9,10절)

백성들은 광야에서 선지자를 찾곤 했지만, 침례인 요한은 선지자보다 더 훌륭한 사람이었다. 왜냐하면, 그는 『**보라, 내가 나의 사자를 네 면전에 보내노니, 그가 네 앞서 너의 길을 예비하리라.**』(10절)라고 예언된 인물이었기 때문이다. 요한은 메시아께서 오시는 길을 예비한 매우 특별한 인물인 것이다. 침례인 요한에게는 다음과 같은 특별함이 있었다. 우선 메시아 왕께서 오시기에 앞서서 그분보다 먼저 왕국 복음을 전파했다(마 3:1,2). 그리고 예수님께서는 요한에 관해 말라키 3:1을 인용하셨는데(10절), 그 구절에 따르면 요한은 『**만군의 주**』께서 그분의 백성에게 오시는 길을 예비하는 매우 중요한 임무를 맡고 있었다.

『보라, 내가 내 사자를 보내리니, 그가 내 앞에서 길을 예비하리라. 또 너희가 찾고 있는 주가 갑자기 자기 성전에 오

> 리니, 곧 너희가 기뻐하는 언약의 사자니라. 보라, 그가 오리라. 만군의 **주**가 말하노라』(말 3:1).

만군의 주 앞에서 길을 예비할 침례인 요한은 말라키 4:5,6에서 예언된 선지자 엘리야와 관련이 있다. 『**보라, 내가 주의 크고 무서운 날이 오기 전에 선지자 엘리야를 너희에게 보내리니, 그가 아비들의 마음을 자식들에게로, 자식들의 마음을 그들의 아비들에게로 돌이켜, 내가 와서 땅을 저주로 치지 않게 하리라.**』 천사 가브리엘은 침례인 요한의 탄생을 예고하면서 다시 올 엘리야의 사역과 말라키 4:5,6을 인용했으며, 예수님께서도 마태복음 17:11-13에서 침례인 요한을 엘리야로 묘사하셨다. 따라서 침례인 요한은 유대인들이 그들의 메시아를 받아들였더라면 엘리야가 될 수도 있었던 인물이었다. 그래서 예수님께서는 『**만일 너희가 그것을 받을 의향만 있다면, 오기로 되어 있는 엘리야가 바로 그 사람이니라.**』(14절)라고 말씀하신 것이다.

3. 침례인 요한의 위치(11절)

> 『진실로 내가 너희에게 말하노니, 여자에게서 태어난 사람 가운데 침례인 요한보다 더 큰 사람은 일어난 적이 없었느니라. 그러나 천국에서는 가장 작은 사람이라도 그보다 더 크니라』(11절).

침례인 요한은 "여자에게서 태어난" 모든 구약 선지자 중에서 가장 위대했다. 그러나 누가복음 7:28에 따르면 여자에게서 태어난 침례인 요한은 "하나님께로부터 태어난"(요일 5:1,4) 거듭난(벧전 1:23) 그리스도인들보다 작은 위치에 있다. 『**내가 너희에게 말하노니 여인에게서 난 사람 가운데 침례인 요한보**

다 더 큰 선지자는 없느니라. 그러나 하나님의 나라에서는 가장 작은 자일지라도 그보다 더 크니라.』 구원받은 그리스도인들은 침례인 요한과 달리 "하나님의 양자"이고(엡 1:5), "그리스도의 몸" 안에 있으며(고전 12:13), 그리스도의 부활하신 몸과 똑같은 "불멸의 육체"로 영원히 살게 된다(요일 3:1-3).

4. 요한의 경륜적인 위치와 엘리야와의 관계(12-15절)

『침례인 요한의 때로부터 지금까지 천국은 폭력을 겪고, 폭력을 쓰는 자들이 힘으로 그것을 차지하느니라. 모든 선지서와 율법은 요한까지 예언한 것이라. 만일 너희가 그것을 받을 의향만 있다면, 오기로 되어 있는 엘리야가 바로 그 사람이니라. 들을 귀 있는 자는 들을지어다』(12-15절).

침례인 요한이 등장한 뒤로부터 마태복음 11장까지 천국은 폭력을 겪고, 폭력을 쓰는 자들이 힘으로 그것을 차지했다. 예수님의 경우 그분을 따랐던 일단의 유대인들이 그분을 "억지로 데려다가" 왕으로 세우려 했다(요 6:15). 예수 그리스도께서는 자신의 왕국의 보좌에 앉을 "상속자"이신데(마 21:38,45,46), 서기관들과 바리새인들, 제사장들은 그분의 왕국을 차지하기 위해 그 보좌의 "상속자"를 겟세마네 동산에서 "힘으로 붙잡아 십자가에서 죽였다." 천국과 달리 하나님의 나라는 폭력을 쓰는 자들이 힘으로 탈취할 수 없는데, 이는 하나님의 나라가 눈에 보이지 않는 "영적인 나라"이기 때문이다(눅 17:20,21, 롬 14:17).

"모든 선지서와 율법은 요한까지 예언한 것"이라는(13절) 말씀은 예수님께서 침례인 요한까지를 한 세대로 구분해 놓으셨음을 보여 준다. 이것은 "세대주의"의 기초가 되는 말씀이다. 선지서와 율법으로 구성된 구약은 침례인 요한으로 끝나게 되며, 요한이 목 베임 당하고 그가 선두주자로서 그 길을 예비했던 예수 그리스도마저 십자가에 처형되신 뒤로는 구약이 끝나고 신약이 시작되었다. 침례인 요한과 그리스도의 십자가 처형 사이에는 일종의 과도기가 펼쳐지는데, 이 기간에 천국이 폭력을 쓰는 자들에 의해 탈취되는 일이 벌어졌다. 천국이 불법자들에 의해 탈취되었던 이 짧은 과도기적 기간에는, 당시의 힘 있는 자들, 곧 바리새인, 서기관, 율법사 등의 종교지도자들이 예수님께서 가져오실 천국의 도래를 막고(마 23:13) 자신들이 천국의 주인 노릇을 하려고 했다. 말로는 메시아를 기다린다고 하면서도 속으로는 자신들이 천국을 통치하기를 원했던 것이다. 그래서 그동안 자신들의 지배하에 있던 백성들이 예수님께 몰려들자(요 11:48; 12:19), 이를 시기한 그들은 주님을 십자가의 죽음에 넘겨 주고 말았다.

초림 당시 유대인들의 위선(16-19절)

1. 예수님께서는 초림 당시의 세대를 장터에서 노는 어린아이들에 비유하셨다.

주님께서 보실 때 그 세대는 마치 어린아이들이 장터에 앉아 자기 친구들을 부르며 말하기를 "우리가 너희를 향해 피리를 불어도 너희가 춤추지 아니하며, 우리가 너희를 향해 애통하여도 너희가 통곡하지 아니하였도다." 함과 같았다(16절). 비유에서 피리를 불고 애통하는 자들은 "초림 당시의 악한 세대"이며, 그들의 장단에 맞춰 춤추지 않았던 자는 먹지도 마시지도 않은 "침례인 요한"이고, 통곡하지 않고 먹고 마시던 자는 "인자"를 가리킨다.

초림 당시의 유대인들은 요한이 와서 먹지도 마시지도 아니하므로 마귀들렸다고 했고, 인자이신 예수님께서는 와서 먹고 마시니 그분에 대해서는 "보라,

탐식하는 자요, 술을 즐기는 자며, 세리들과 죄인들의 친구로다."라고 비방했다. 요한은 금욕적인 거룩함을 엄격히 강조하던 설교자였는데, 그런 그를 유대인들은 "마귀들렸다"고 비난했다. 한편 하나님께서 사람들과 먹고 마시는 대중적인 설교자를 보내시자, 유대인들은 예수님이 세리들과 죄인들을 친구삼아 탐식하고 술 마시는 자라고 비난했다. 물론 예수님께서는 탐식하지도 않으셨고, 술을 마시지도 않으셨다. 이것은 그들의 모함일 뿐이었다. 『**그러나 지혜는 자기의 자녀들로 인하여 의롭다고 인정받느니라**』(19절).

이방인보다 더 큰 심판을 받게 될 백성(20-24절)

1. 초림 당시 이스라엘 성읍 중에는 주님께서 능력 있는 일들을 가장 많이 행하신 성읍들이 있었다(코라신, 벳새다, 카퍼나움 같은 갈릴리 북쪽 성읍들). 하지만 그런 성읍들이 회개하지 않자 주님께서는 그 성읍들을 강력히 책망하셨다(20절).

주님께서는 코라신과 벳새다에서 행하신 기적들을 투로와 시돈에서 행했더라면 그 이방인들이 벌써 베옷을 입고 재에 앉아 회개했을 것이라고 책망하셨다(21절). 특히 카퍼나움에 대해서는 그들이 하늘까지 높아져 주님의 기적을 거부했다고 하셨는데, 그런 그들이 지옥까지 낮아질 것이라고 경고하셨다. 그러면서 만일 소돔에서 그런 기적을 행했다면 그 성읍이 오늘까지 남아 있었을 것이라고 말씀하셨다(23절).

2. 예수 그리스도께서는 투로와 시돈(바알 숭배자들), 소돔(동성연애자들)이 심판 날에 코라신, 벳새다, 카퍼나움보다 견디기 쉬울 것

이라고 말씀하심으로써 죄의 형벌에도 등급이 있음을 계시하셨다 (22,24절, cf. 마 23:14, 눅 12:47,48, 신 32:22).

메시아 왕을 거부한 유대인들의 죄는 투로와 시돈의 우상숭배보다 더 가중하고, 소돔의 성적인 타락보다 더 사악하다. 그들에게 임할 "심판 날"(the day of judgment)은 구원받지 못한 사람들을 위한 마지막 심판인 큰 백보좌 심판을 가리킨다(계 20:13-15, 벧후 2:9; 3:7, 단 7:9-13). 천년왕국이 지난 후에 행해지는 이 심판은 모든 죄인이 불못으로 던져지는 심판인데, 주님께서는 그 형벌에도 차등을 두시겠다고 말씀하신 것이다.

어린 아기들에게 진리를 계시하심(25-27절)

『그 때에 예수께서 대답하여 말씀하시기를 "오 하늘과 땅의 주이신 아버지시여, 이런 일들을 지혜롭고 슬기로운 자들에게는 숨기시고 어린 아기들에게 나타내심을 감사하나이다. 그러하옵니다. 아버지시여, 이는 그렇게 하시는 것이 아버지 보시기에 선함이니이다. 나의 아버지께서 모든 것을 내게 주셨으니, 아버지 외에는 아들을 아는 사람이 아무도 없고, 또 아들과, 누구라도 아들이 아버지를 계시하고자 하는 자 외에는 아버지를 아는 사람이 아무도 없나이다』(25-27절).

1. 동일한 문맥인 누가복음 10:21에서는 예수님께서 성령으로 "기뻐하시면서" 위와 같은 말씀을 하셨다고 기록되어 있다. 예수님께서 기뻐하셨다는 표현은 사복음서에서 단 한 번만 나오는데 바로 이 부분이다.

주님께서 기뻐하신 것은 자신을 지혜롭고 슬기롭다고 여기는 사람들에게는 진리를 숨기시고 어린 아기처럼 순수하게 믿는 갈릴리 어부와 같은 이들에게는 진리를 깨닫게 하신 일이었다(눅 10:17, 마 21:16, 벧전 2:1-3). 또한 아버지 하나님께서 그분의 아들에게 모든 것을 주셨고, 그 하나님의 아들께서 아버지를 계시해 주시는 사람 외에는 아버지를 아는 자가 없다는 것은 하나님의 아들이신 예수 그리스도의 신성을 나타낸다.

혼의 쉼으로의 개인적인 초청(28-30절)

『수고하고 무거운 짐진 자들아, 다 내게로 오라. 그러면 내가 너희에게 쉼을 주리라. 나는 마음이 온유하고 겸손하니, 내 멍에를 메고 나에게서 배우라. 그리하면 너희가 너희 혼에 쉼을 얻으리라. 이는 내 멍에는 쉽고 내 짐은 가볍기 때문이라."고 하시더라』(28-30절).

1. 예수님께서는 그분의 백성이 주님의 왕 되심을 민족적으로 거부하자, 이제는 "개인"에게 관심을 돌리시면서 개인적으로 주님께 나아오라고 초청하신다.

이것은 주님께서 유대인의 왕으로서 거부당하셨기 때문인데, 그렇기에 방향을 바꾸시어 모든 믿는 자들의 구주이신 "하나님의 아들"로서 자신을 제시하시는 것이다. 28절은 민족적인 구원 이상의 것이 있다는 경고이며, "구원은 개인적인 문제"라는 진리를 담고 있다.

2. 예수님께서는 죄의 짐을 지고 허덕이는 자들을 향해 『수고하고 무거

운 짐진 자들아, 다 내게로 오라.』(28절)라고 초청하신다.

주님과 멍에를 함께 메면서 배울 것이 많이 있는데, 그중에는 특히 주님의 온유하심과 겸손하심이 있다. 이 두 가지를 배우면 혼의 쉼에 이를 수 있다. 인생의 많은 문제와 그에 따른 심적 고통이 온유와 겸손이 부족해서 발생하며, 이 둘은 인생의 다양한 짐을 가볍게 할 수 있는 인격적 능력이 된다.

■ 새롭게 깨달았거나 적용할 내용이 있다면 적어 보세요. ■

제5과
복습문제

1. 예수 그리스도께서는 침례인 요한에게 그분 자신이 구약에서 예언된 메시아이심을 ( ) 35장의 표적으로 증거하셨다.

2. 여자에게서 태어난 침례인 요한은 "( )께로부터 태어난" 그리스도인들보다 작은 위치에 있다.

3. 천국과 마찬가지로 하나님의 나라도 폭력을 쓰는 자들이 힘으로 탈취할 수 있다. (O , X)

4. 모든 선지서와 율법은 ( )까지 예언한 것이다.

5. "심판 날"은 구원받지 못한 사람들을 위한 마지막 심판인 ( ) 심판을 가리킨다.

6. 예수 그리스도께서는 그분의 백성들이 주님의 왕 되심을 민족적으로 거부하자, ( )에게로 관심을 돌려 초청하셨다.

■ 복습 문제의 정답은 홈페이지(www.solomonbtc.org)에서 확인할 수 있습니다.

NOTES

NOTES

제6과

왕을 거부한 세대 (2)

악하고 음란한 세대(12장)

『그때 서기관들과 바리새인들 몇 사람이 대답하여 말씀드리기를 "선생님, 우리는 선생님에게서 표적을 보기 원하나이다."라고 하더라』(마 12:38).

11장에서는 왕국을 거부하는 한 세대를 보여 주고, 12장에서는 그 악한 세대가 여전히 왕을 거부하는 것을 구체적인 사건들을 통해 보여 준다. 그들은 왕의 표적으로 보고서도 그분을 메시아로 받아들이지 않은 세대이며(11:20-24), 침례인 요한과 예수님을 비방하는 세대이고(11:16-19), 침례인 요한과 예수님의 왕국 사역을 받아들일 의향이 없는 세대이다(11:14). 12장 마지막에 가면 11장에서와 똑같이(11:25-30) 예수님의 관심은 민족적 이스라엘에게서 자신을 따르는 개인에게로 옮겨지는데, 그것은 이스라엘 민족이 왕을 거부한 결과이다.

박해받는 유대인의 왕(1-8절)

1. 예수님께서 안식일에 곡식밭을 지나가실 때 제자들이 시장하여 이삭을 따서 먹기 시작하자 바리새인들이 제자들이 안식일에 해서는 안 되는 일을 한다며 주님을 정죄했다(1,2절).

이에 주님께서는 "다윗"과 "제사장"을 예로 들어 그들의 주장을 반박하셨다. 주님은 다윗과 그의 일행이 시장해서 성전의 차려 놓은 빵을 먹었던 일을 예로 드시면서 주님 자신을 도피 중인 다윗에 빗대셨으며(삼상 21:1-6), 또한 성전 안에서 안식일을 범해도 죄가 되지 않는 제사장들보다(민 29:32) 더 위대하신 분으로서 주님 자신을 제시하신 것이다(3-5절).

주님께서 예로 드신 다윗은 "거부당한 왕"으로서의 예수 그리스도를 예표하고 있다. 다윗은 사울에게 쫓겨 다닐 때 제사장에게 부탁하여 율법을 어기면서까지 성전의 빵을 먹었는데, 하나님께서는 이런 다윗의 행동을 책망하지 않으셨다. 왜냐하면 **『자비를 원하고 희생제를 원치』** 않으시는 하나님께서 배고픈 다윗에게 자비를 베푸셨기 때문이다(12절). 이 사건에서 예수님과 다윗의 공통점은, 둘 다 기름부음 받은 "왕"임에도 불구하고 아직 보좌를 차지하지 않은 상태에 있었다는 점이다. 다윗은 기름부음을 받은 지 한참 후에야 그 보좌를 얻게 되었는데, 예수님께서도 왕국의 주인으로 나타나셨지만 거부당하시고 2천년이 지난 후에야 천국의 보좌를 차지하시게 된다.

민수기 29:32에서는 제사장들이 안식일을 어기는데, 매일의 제사는 7일간 계속되고 제사장들은 그 일주일 내내 "차려 놓은 빵"을 먹음으로써 성전 안에서 안식일을 범한 것이다. 이것은 안식일보다 성전이 더 위대하다는 것을 의미한다. 또한 예수님께서는 자신을 성전보다 더 위대하다고 말씀하심으로써(6절) 주님 자신이 안식일을 어겨도 전혀 문제가 안 된다고 말씀하셨다. 말하자면 **『인자는 곧 안식일의 주』**이시기(8절) 때문에 안식일의 주께서 안식일에 그분 마음대로 하시는 것은 전혀 문제가 안 되는 것이다.

안식일에 병자를 고치신 예수님(9-14절)

1. 주님께서는 곡식밭을 떠나 바리새인들의 회당으로 들어가셨는데, 그들은 그곳에 있던 한쪽 손이 마른 사람과 관련하여 안식일에 병을 고치는 것이 타당한 일이냐고 물었다. 목적은 주님을 고소하기 위함이었다(9,10절).

주님께서는 안식일에 구덩이에 빠진 양 한 마리를 예로 들어 반박하셨다. 『그

러나 주께서 그들에게 말씀하시기를 "너희 가운데 어떤 사람이 양 한 마리가 있는데 그것이 안식일에 구덩이에 빠진다면, 붙잡아서 들어올리지 아니하겠느냐? 하물며 사람이 양보다 얼마나 더 귀하냐? 그러므로 안식일에 선을 행하는 일은 타당하니라."고 하시더라』(11,12절). 그러고 나서 그 병자의 손을 펴서 온전하게 회복시켜 주셨는데, 이 일로 바리새인들은 어떻게 하면 주님을 죽일까를 모의했다(13,14절).

예수님의 논지는 첫째, 안식일을 의식적으로 준수하는 것보다는 그날에 선을 행하는 것이 옳으며, 둘째, 양을 구해 내기 위해서 자신들의 필요에 의해 안식일을 깨는 자들이 양보다 훨씬 귀한 사람을 안식일에 고쳐 주신 주님을 비난할 수 있느냐는 것이다. 안식일에 관한 논쟁은 주님께서 겪으신 논쟁 중 핵심이 되는 부분이었다. 누가복음 13:11-17에는 18년 동안이나 병약의 영에 사로잡힌 한 여인을 안식일에 치유해 주신 사건이 기록되어 있는데, 그때 사용된 예화는 구덩이에 빠진 양이 아니라, 안식일에 물을 먹이러 가는 소나 나귀의 이야기이다. 마태복음과 누가복음의 사례에서 모두 사람들이 예외적인 필요에 의해 안식일을 깨지만 하나님께서는 그 일을 심판하지 않으셨다. 하나님께서는 의식을 준수하는 데 있어서 사람들처럼 구속받지 않으시는 것이다. 제자들이 배가 고파 안식일에 곡식을 좀 따 먹은 것이 하나님께 정죄받을 일은 아니었던 것이다.

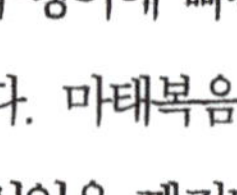

바리새인들이 회당에서 나가 주님을 죽일 모의를 하자, 이를 아신 예수님께서는 그곳을 떠나셨고 큰 무리가 주님을 따랐다. 주님께서는 자신이 아직 죽으실 때가 안 되었기 때문에 그 살인자들을 피하신 것이다(눅 4:30, 요 8:59). 주님께서는 따르는 큰 무리를 모두 고쳐 주셨고, 자신을 알리지 말라고 당부하셨다(14-16절). 이는 초림 때 주님을 거부한 유대인들은 주님의 음성을 듣지 못하고, 그 대신 이방인들이 주님을 신뢰하여 구원받을 것이라는 이사야의 예언에 따른 것이었다(17-21절).

용서받을 수 없는 죄(22-37절)

1. 마귀에게 사로잡혀 눈멀고 벙어리 된 사람을 고쳐 주시자 바리새인들은 주님께서 바알세붑을 힘입어 마귀들을 쫓아낸 것이라고 비난했다.

그러자 주님께서는 왕국과 성읍과 가정이 서로 갈라지면 제대로 서지 못하기에, 사탄이 사탄을 쫓아내어 그의 왕국을 갈라지게 하는 일은 없다고 하셨다. 그러면서 주님 자신이 『**하나님의 영**』을 힘입어 마귀들을 쫓아내신 것이며, 이로써 하나님의 나라가 그 유대인들에게 임한 것이라고 알려 주셨다(22-30절).

주님이 비엘세붑을 힘입어 사역한다고 비난하는 바리새인들에게 주님께서는 "성령을 거스르는 모독"에 관해 경고하셨다. 『**그러므로 내가 너희에게 말하노니, 각종 죄와 모독은 사람들에게 용서가 되나, 성령을 거스르는 모독은 사람들에게 용서될 수 없느니라. 또 누구든지 인자를 거슬러 말하는 자는 용서받을 수 있어도 누구든지 성령을 거슬러 말하는 자는 용서받을 수 없느니라. 이는 이 세상에서나 오는 세상에서도 마찬가지니라**』(31,32절).

용서받을 수 없는 죄에 대해 알기 위해서는 『**성령을 거스르는 모독**』과 『**성령을 거슬러 말하는 자**』라는 표현에 주목해야 한다. 이 죄는 성령님을 대적해서 하는 "말"에 있다. 마가복음 3:29,30에서는 『**성령을 거슬러 모독하는 자는 결코 용서받지 못하고, 영원한 정죄의 위험에 처하리라."고 하시더라. 이는 그들이 말하기를 "그가 더러운 영을 지녔다."고 함이더라.**』라고 되어 있는데, 이는 그 모독이 "예수 그리스도께서 더러운 영을 소유했다"라고 말하는 것과 관련되어 있음을 보여 준다. 예수님께서 그분 안에 충만하신 성령의 능력으로 이적들을 행하셨는데도, 그 예수님 안에 계신 성령을 악령이라고 말한다면 그 죄는 결코 용서받지 못한다는 것이다. 이 죄는 직접 예수 그리스도를 향해 더러운 영을 지녔다고 말할 때 성립되기 때문에 현 교회 시대에는 절대로 지을 수 없다. 왜냐하면, 지금은 예수 그리스도께서 육체로 우리 앞에 계시지 않기 때문이다.

따라서 이 죄는, 『**이는 이 세상에서나 오는 세상에서도 마찬가지니라.**』(32절) 라는 말씀에서도 알 수 있듯이, 예수 그리스도께서 이 땅에 몸을 입고 계셨던 "초림"과 "천년왕국" 때 지을 수 있는 죄이다. 성경에서 "오는 세상"(the world to come)은 언제나 물리적인 천국이 이 땅에 실제로 이루어지는 때인 천년왕국을 가리킨다(마 13:39,49; 24:13, 막 10:30, 히 2:5; 6:5).

2. 주님께서는 그 열매로 그 나무를 안다고 하시면서 좋은 열매의 좋은 나무와 나쁜 열매의 나쁜 나무를 구분하셨다(33절).

문맥상 예수님께서 좋은 나무이고, 바리새인들은 나쁜 나무이다. 주님께서는 나쁜 나무인 바리새인들을 가리켜 『**독사들의 세대**』라고 꾸짖으셨고, 주님을 가리켜 사탄이 들렸다고 말할 정도로 마음에 악한 보화가 쌓여 있는 그들을 책망하셨다(34,35절). 초림 때 천국을 가로막은 일차적인 책임은 바리새인들과 같은 종교지도자들에게 있으며(마 23:13), 그들은 예수님의 사역 전반에 걸쳐서 그분을 거부하는 반대 세력으로 등장했다.

3. 주님께서는 초림 당시 유대인들이 말로 짓는 성령 모독죄와 관련하여 "빈말"에 대해서도 경고하셨다.

『그러나 내가 너희에게 말하노니 사람이 말하는 어떠한 빈말이라도 심판 날에는 그에 관하여 설명하게 되리라. 이는 네 말들로 인하여 네가 의롭게 되고, 또 네 말들로 인하여 네가 정죄함을 받게 될 것이기 때문이라."고 하시니라』(36,37절).

이 구절은 교리적으로 교회 시대에 적용되지 않는다. 왜냐하면, 성경에서 "심판 때"나 "심판 날"은 항상 "큰 백보좌 심판"을 가리키기 때문이다. 우리 그리스도인들은 "큰 백보좌 심판 때" 주님과 함께 심판하는 자리에 앉아 있을 뿐(고전 6:2) "빈말"에 대해 심판을 받지는 않는다. 하지만 위의 말씀은 우리가 항상 말을 조심해야 한다는 점에 있어서 반드시 유념해야 할 구절이다(약 3:8,9). 사도 바울도 그리스도의 심판석에서 우리가 『**자기 몸으로 행한 것들**』(고후 5:10)을 심판받는다고 기록하는데, 거기에는 우리 몸의 지체인 혀를 사용한 일도 포함될 것이기 때문이다.

표적을 구하는 악하고 음란한 세대(38-45절)

1. 서기관들과 바리새인들이 주님께 표적을 구하자 주님께서는 선지자 요나의 표적을 제시하셨다.

『그러나 주께서 그들에게 대답하여 말씀하시기를 "악하고 음란한 세대가 표적을 구하나, 선지자 요나의 표적밖에는 줄 표적이 없도다. 요나가 사흘 낮과 사흘 밤을 고래 뱃속에 있었듯이, 인자도 그처럼 사흘 낮과 사흘 밤을 땅의 심장 속에 있을 것이라』(39,40절).

이스라엘 백성은 표적으로 시작한 민족이고(출 4장), 표적을 구하는 민족이기에(고전 1:22) 그들이 표적을 구하는 것은 잘못된 일이 아니었다. 하지만 예수님께서 『**선지자 요나의 표적밖에는 줄 표적이 없도다.**』라고 하신 것은 그들의 완악함에 대한 책망이었다. 왜냐하면, 그들은 지금까지 어떤 표적을 보여 줘도 믿지 않았기 때문이다. 서기관들과 바리새인들은 주님께서 어떤 표적을 제시하셔도 믿지 않겠다고 마음을 정하고 오직 예수님을 흠잡기 위해 표적을 요구했던 것이다. 주님은 이런 그들을 가리켜서 『**악하고 음란한 세대**』(39절)라고 꾸짖으셨고, 34절에서는 『**독사들의 세대**』라고 책망하셨다. 마음을 완전히 닫고 주님을 의심하고 시험하는 자들에게 그런 강력한 표현을 쓰신 것이다. 예수님께서는 이제 한 가지 표적만을 남겨 두신 것이고, 그것이 그 민족에게는 마지막 기회였다. 그 기회는 주님의 제자들이 주님의 죽음과 부활을 증거하는 사도행전에서 주어졌는데, 끝내 이스라엘은 거부했고, 그 결과 약속의 땅에서 쫓겨나 전 세계로 흩어지는 역사를 맛보게 되었다.

주님께서 악하고 음란한 세대에게 마지막으로 보여 주실 표적은 "선지자 요나의 표적"이었다. 말하자면 그들에게 보여 줄 표적은 더 이상 없으며, 주님 자신의 죽음과 장사와 부활을 보여 주는 선지자 "요나의 표적," 곧 『**사흘 낮과 사흘 밤**』 뒤에 부활하시는 표적만 남아 있었던 것이다(마 16:21, 고전 15:4). 『**하나님께서 그분을 셋째 날에 살리셔서 드러나게 보여 주셨으니**』(행 10:40). 이것이 유대인들에게 보여 주신 최후의 표적이었다!

요나는 고래에게 삼켜졌고 죽었으며 부활했다. 주님께서는 요나가 고래 배 속에 있었던 일을 주님 자신의 죽음과 연결시키셨는데, 그렇게 보면 요나가 고래 배 속에서 죽어 있었고 그의 혼이 지옥의 뱃속으로 내려가 주님께 부르짖었다는 사실이 분명해진다. 『**내가 지옥의 뱃속으로부터 부르짖었더니**』(욘 2:2).

한편 요나는 그의 기도가 응답받아 지옥에서 나올 수 있었다. 그의 몸은 고

한글개역성경은 지옥을 "스올"로 음역해 놓아 지옥의 실체를 가려 버렸다. 그러나 분명히 요나는 죽었고, 그의 혼은 지옥의 뱃속에 내려가 하나님께 부르짖었다. 이처럼 예수님께서도 십자가에서 죽으신 이후에 땅의 심장 속에 들어가 계셨던 것이다.

래가 육지에 토해 냄으로써 부활했는데, 이것이 바로 요나의 죽음과 부활이며, 주님은 이것을 주님 자신의 죽음과 부활의 예표로서 제시하셨다. 요나의 죽음과 부활은 예수님의 죽음과 부활을 알리는 "표적"이었던 것이다.

2. 주님께서는 이후 니느웨 사람들과 남방 여왕을 예로 들면서 주님의 위대하심을 설교하셨다(41,42절).

주님께서는 요나의 전파로 회개한 니느웨 사람들이 『**심판 때**』, 즉 "큰 백보좌 심판" 때 초림 당시의 유대인들을 정죄할 것이라고 하셨는데, 이는 그들이 요나의 전파로 회개했기 때문이다. 하지만 요나보다 더 위대하신 분이 주님 자신이라고 말씀하신다(41절). 주님은 또한 심판 때에 남방의 여왕이 초림 당시 유대인 세대와 함께 일어나서 그들을 정죄할 것이라고 하셨는데, 이는 그 여인이 솔로몬의 지혜를 들으려고 땅의 맨 끝에서 왔기 때문이다. 그러나 솔로몬보다 더 위대한 이가 바로 주님 자신이라고 말씀하신다(42절). 말하자면 "이 악한 세대"는 요나보다, 솔로몬보다 더 위대하신 왕을 받아들이지 않았기 때문에, 니느웨 사람들과 남방의 여왕보다 더 큰 심판을 받게 될 것이라는 말씀이다.

예수님을 거부하면 악령이 들어간다(43-45절)

1. 예수님께서는 주님을 끝내 거부한 이스라엘을 "더러운 영에 사로잡힌 사람"에 비유하셨다.

"더러운 영"은 이 사람을 가리켜 『**내 집**』이라고 했는데, 그에게서 나왔던 악령은 물 없는 곳으로 두루 다니면서 쉴 곳을 찾다가 찾지 못하여 돌아와 보니 그 집이 비어 있고 소제되고 단장되어 있음을 알게 된다. 그러자 자기보다 더 악한 다른 일곱 영을 데리고 와서 들어가 살게 되는데, 이로써 그 사람의 나중 상태가 처음보다 더 악화되었다. 주님께서는 이 사람의 상태가 "이 악한 세대"와 같다고 하셨다. 『**이 악한 세대도 그러하리라**』(45절).

말하자면 초림 당시 이스라엘은 예수 그리스도의 표적과 설교를 통해 소제되고 단장되어 주님을 영접할 준비가 되어 있었지만, 결국 자기들의 왕을 받아들이지 않음으로써 주님으로 채워지지 못하고 이전보다 더 악한 악령들로 채워졌던 것이다. 그런 그들은 급기야 자기들의 왕을 십자가에 처형하기까지 했으며, 이후 2천 년 동안 자신들의 하나님을 잊은 채 방황하며 이방인들처럼 살게 되었다. 심지어 대환란 기간에는 사탄이 육화한 적그리스도가 이스라엘 땅으로 들어가 예루살렘의 환란 성전에 앉아 통치하게 된다(살후 2:4). 하지만 이후 예수 그리스도께서 재림하시면 이스라엘 안으로 들어온 그 마귀를 몰아내시고(계 19:20) 유대인의 왕으로서 통치하실 것이다.

사람은 성령으로 채워지든지 악령으로 채워지든지 둘 중 하나로 채워지게 되어 있다. 예수 그리스도를 거부한 죄인은 악령으로 채워지고, 복음의 진리대로 살지 않는 그리스도인 역시 악령으로 채워진다.

예수님의 참된 모친과 형제들(46-50절)

1. **주님께서는 주님 계신 곳 밖에 서서 주님과 대화하기를 원하는 모친과 형제들에 관해 전해 듣자, 『누가 내 모친이며, 누가 내 형제들이냐?』(48절)라고 반문하셨다.**

그러고는 주님의 제자들을 향해 손을 내밀며 말씀하시기를 『**나의 모친과 나의 형제들을 보라! 누구든지 하늘에 계신 내 아버지의 뜻을 행하는 그 사람이 나의 형제요, 자매요, 모친이니라.**』(49,50절)라고 하셨다. 말하자면 혈육이 아닌 하나님의 뜻을 행하는 자에게로 관심을 돌리겠다고 말씀하신 것이다. 이 부분 역시 마태복음 11:28-30과 마찬가지로 예수님을 믿고 따르는 "개인"에게로 관심을 돌리시는 것을 보여 준다. 이스라엘이 주님을 민족적으로 거부하자 주님을 따르는 "개인"을 대상으로 말씀하기 시작하시는 것이다. 이 일은 "이방인들"에게까지 확대되었고, 그 결과 누구든지 "개인적으로" 주님을 믿으면 구원받을 수 있는 시대가 열렸다(요 1:12, 롬 10:13). 하나님께서는 이스라엘 민족이라고 해서 무조건 봐주시지 않으며, 그들 가운데서 하나님의 뜻을 행하는 사람을 사랑하시는데, 이 점은 이방인들에게도 마찬가지이다.

■ 새롭게 깨달았거나 적용할 내용이 있다면 적어 보세요. ■

제6과 복습문제

1. 주님께서 안식일에 있었던 곡식밭 사건과 관련하여 예로 드신 다윗은 거부당한 (   )으로서의 예수 그리스도를 예표한다.

2. 인자께서는 안식일의 (   )이시다.

3. “용서받을 수 없는 죄”는 예수님 안에 계신 성령을 모독한 죄이기 때문에, 예수님께서 인간의 눈앞에 계신 초림 때와 (   ) 때 짓게 되는 죄이다.

4. 서기관들과 바리새인들이 주님께 표적을 구하자 주님께서는 최후의 표적으로 선지자 (   )의 표적을 제시하셨다

5. 초림 당시 예수 그리스도를 영접하지 않은 이스라엘은 이전보다 더 악한 (   )들로 채워지게 되었다.

6. 『요나가 사흘 낮과 사흘 밤을 고래 뱃속에 있었듯이, 인자도 그처럼 사흘 낮과 사흘 밤을 땅의 (   ) 속에 있을 것이라』(요 12:40).

■ 복습 문제의 정답은 홈페이지(www.solomonbtc.org)에서 확인할 수 있습니다.

NOTES

NOTES

NOTES

< 추 천 도 서 >

마태복음

피터 S. 럭크만 지음 / 748쪽
35,000원(eBook 11,900원))

마태복음은 교회와 교회 시대를 대상으로 기록된 책이 아니라, 유대인과 왕국을 겨냥하여 기록된 책이다.

"성경"을 모르는 민족은 망했다

피터 S. 럭크만 지음 / 248쪽 / 12,000원

성경은 역사책이다. 성경의 첫머리(창 1:1)는 "역사"의 시작을 다루고 있다. 저자는 본서를 통해 성경이 얼마나 놀라운 책인지 독자들에게 알려 준다.

잊혀진 진리들

로버트 앤더슨 지음 / 152쪽
3,500원(eBook 2,900원)

주님께서 다시 오신다 약속하시고 승천하신 지 2,000년이 되었건만 아직 주님은 오시지 않았다. 하지만 머지않아 그 약속의 성취를 모두가 목도하게 될 것이다.

죽음의 재 같은 땅 이스라엘

피터 S. 럭크만 지음 / 520쪽
25,000원(eBook 9,900원))

역사적으로 가장 수난을 많이 당한 민족임에도 불구하고 여전히 인류 역사와 성경 예언의 중심인 이스라엘의 모든 것들을 제시한다.

솔로몬 성경공부 시리즈

마 태 복 음

제2권 왜 유대인들은 왕을 거부했는가? (8-12장)

초판1쇄 2021년 1월 8일
초판3쇄 2022년 10월 28일
지 은 이 / 편 집 부
발 행 인 / 박 승 용
발 행 처 / 말씀보존학회
출판등록 / 제409-2022-000036호
주 소 / 서울 강서우체국 사서함 제90호
전 화 / (02) 2665 - 3743
팩 스 / (02) 2665 - 3302
인 터 넷 / www.biblemaster.co.kr

잘못된 책은 바꿔 드립니다.

값 10,000 원